KB176777

내게 말을 거는
여행의 장소

내게 말을 거는
여행의 장소

여행의 장소에서

새로운 나를 만나고 싶은 모든 이들에게

그곳이 말을 건네는 소리를 들은 적이 있다면,
그 도시는 당신에게
관광지가 아니라 여행지다

그리고 당신은
관광객이 아니라 여행자이다.

진지한 여행자들은 그저 '와우'하는 경탄에 그치지 않고,
언제나 그다음으로 나아간다.

여행을 할 때면 언제나
그다음 단계로 나아감을 꿈꾼다. 그것은,
자신의 미해결 과제에 대한 새로운 자각과 각성이 있기도 하고,
더 큰 세상에 대한 책임을 느끼기도 하며,
나의 '살아있음'의 의미를 재발견하기도 한다.

미지의 장소에 다다르기 위해

지금의 자리를 떠나는 거야.

인생의 길을 바꾸는 여행의 장소

오늘은 이식할 심장을 가지러 뚜르Tours에 갔었다고 했다. 파리에서 차로 거의 3시간을 내리 달려야 하는 도시, 뚜르로 가서 심장을 싣고 오토바이 경찰들의 호위를 받으며 홍해를 가르듯 1시간 반 만에 병원에 돌아왔다고 했다. 처음 사람을 살리는 일에 조금이라도 보탬이 된 자신에 대한 뿌듯함이 전화 목소리에서 한껏 느껴진다. 파리 의대 졸업반인 딸 유진이 이렇게 파리에서, 그것도 의사가 되는 인생을 살게 된 계기는 다름아닌 우리의 '그 여행' 때문이었다.

우리의 그 여행.
유진이 중3으로 올라가던 해 1월, 우리는 서아프리카 기니로 여행을 갔었다. 아프리카 오지에서 학교를 운영하시는 선교사님을 도와 방과후학교 교사로 잠시 봉사해 보자고 떠나게 된 여행이었다.

처음 가는 아프리카인지라 풍토병과 황열병 주사도 맞아야 했고 상비약과 밀짚모자, 비타민, 물티슈, 라면과 깻잎 통조림 같은 비상식량도 챙겨야 했다. 아이들과 가지고 놀 색종이, 가위 같은 학용품과 폴라로이드 카메라, 포토프린터, 그리고 공깃돌같이 한국문화를 전할 물건도 가져가야 해서 짐이 적지 않았다. 그러나 그 많은 것들을 준비하면서 설렘도 크고 행복했다. 늘 여행의 전날들이 그렇듯이.

우리는 파리 샤를 드골 공항 근처의 호텔에서 하루를 머물고 다음 날 아침, 기니로 가는 비행기를 탔다. 기니 수도인 코나크리Conakry는 아프리카 대륙의 서쪽 라인을 따라 대서양에 접해있는 항구도시로, 15세기, 포르투갈인이 이 해안에 도착하며 식민지가 된 이래 계속 중요한 위치였던 것 같았다. 비행기에서 내려다보이는 서아프리카는 우리가 상상했던 것과는 좀 달랐다. 케냐나 남아공 같은 사파리 지역도, 사하라가 있는 사막 지역도, 타산이 나올 것 같은 콩고 정글도 아닌 것은 알고 있었지만 이렇게까지 붉은 흙만 날리는 곳일 줄이야.

코나크리에 내린 우리는 곧 폐차될 것 같은 토요타 캠리에 짐짝같이 구겨 타고, 울퉁불퉁한 비포장도로를 12시간 넘게 달리고 또 달렸다. 불빛 하나 없는 돌산을 밤새도록 넘고 또 넘는데, 운전사가 잠시 쉬느라 시동을 껐더니 칠흑 같은 어둠에 백 만개의 별들이 하늘에서 쏟아진다. 여기는 정말 오지 중의 오지! 우리가 여기 어디서 죽는다고 해도 세상에 그 누가 알까… 그 누구도 우리를 발견할 수 없겠다.

에어컨이 없는 차여서 (이 더운 아프리카에서 에어컨이 없다니 이게 웬 말인가) 계속 차창을 열고 갔더니 붉은색 흙먼지를 그대로 얼굴에 뒤집 어썼다. 얼굴을 물티슈로 닦으니 주황색 염료 같은 흙물이 줄줄 나온다. 꼴이 정말 말이 아니다. 자다 깨다, 쭈그러진 어깨를 몇 번씩 주무르다가, 고개를 뒤로 젖혔다가 또 이리저리 돌려보다가, 시간이 어찌 가고 또 가서… 희미하게 동이 터오는 안개 낀 새벽, 우리는 '심부야Sambuya'라는 작은 아프리카 시골 마을에 도착했다.

우리는 삼부야 마을에서 매일, 파울로 코엘료가 표현한 세 개의 악장으로 이루어진 교향곡 같은 날들을 보냈다. 〈많은 사람들과〉, 〈몇몇 사람들과〉, 그리고 때로 〈아무도 없이〉 조화로운 날들을 보냈다. 그 시간은 서울에선 잘 떠올릴 수 없는 어떤 생각들이 우리를 사로잡고 우리 안에 흐르고 우리 곁을 맴돌게 했다.

학교에서 교사로 봉사하며 많은 아프리카 아이들을 만나고, 우물가에서 물을 길으며 많은 아프리카 여인들을 만나고, 또 이웃 마을까지 가서 함께 공부할 만한 아이들을 모으며, 오늘 말고는 앞으로 지상에서 평생 또 마주할 일이 없을 것 같은 〈많은 사람들과〉 만났다. 교사로 일하는 중간 중간, 거기 봉사 온 교사와 선교사님들 〈몇몇 사람들과〉 깊은 대화를 하기도 했다. 그리 지내던 어느 날, 영어를 하는 몇몇 현지인들과 대화를 나누다가, 어린 여자애들이 한밤중에 끌려가 저항할 수 없이 결박된 가운데 할례를 받는다는 얘기를 들었다. 이 컷팅cutting 의식은 마취나 소독도

제대로 안 한 채 생식기 전체 혹은 일부를 제거하거나 상처만 낸 뒤 좁은 구멍만 남기고 봉합하는데, 평생 대소변을 조절하지 못하는 부작용이나 통증, 출혈 등의 합병증을 겪기도 한다고 했다.

그런데, 이 비위생적인 시술을 하는 건 토착 주술사들이지만 정작 이 일을 도모해 아이를 그 앞에 끌고 가는 건 다른 이도 아닌 할머니나 친척들이라는 얘기에, 나는 더 참지 못하고 소리를 질렀다.

그들은 가족의 명예를 위해 확실한 명분을 가지고 자랑스럽게 이 일을 한다고 했다. 인간의 광기 어린 종교심과 집단적 히스테리는 참으로 지독하다. 잠시 문밖에 나가니 저녁놀이 뉘엿뉘엿 지는데, 나무 뒤쪽에서 신나게 맨발로 뛰어노는 어린 여자아이들의 웃음소리가 까르르 들렸다. 순간, 이 천진난만한 아이들에게 곧 치러질, 잔인한 고통의 의식이 떠올라 마치 내 몸에 칼끝이 닿는 듯 소름이 끼쳤다.

그날 밤은 뒤척이다 몇 시간 못 자고 다음 날 새벽, 닭 울음소리에 잠이 깼다. 〈아무도 없이〉 침대에 걸터앉았는데, 고요 속에서, 이 가난하고 무지한 땅에 대한 연민이 머리에서 가슴으로, 가슴에서 온몸의 마디마디로 퍼지는 것 같았다. 아이들을 워낙 좋아해 온종일 같이 뛰놀던 유진도 나처럼 많은 생각이 있었던가, 여행이 끝나갈 무렵, 내게 이런 말을 했다. 자기는 WHO나 유니세프 같은 곳에서 아프리카 아이들을 위해 목소리를 내는 사람이 되고 싶다고. 그들을 위해 뭔가 해야 할 것만 같은 마음이 든다고 했다. 아프리카에서 소통할 수 있고 유엔 공식 언어이기도 한 프랑스어를 하나 더 배워야겠다고 했다.

분명 유진은 이전에 알고 있던 고만고만한 세계 (집과 학교, 학원만을 오가는 세계)로부터 고개를 들어, 저 멀리 바다 끝의 세계에서 불어오는 바람을 느끼고 있었다. 불의한 일이 일어나고 있는 먼 땅에서 울리는 북소리에 둥둥둥둥 마음이 요동치고 있었다.

움집에서 닭과 같이 먹고 자는 착한 사람들이 만들어 주는 풀떼기 죽 같은 것을 받아먹으면서 "완전 설사 같다!"며 웃었던 날들, 아프리카를 떠나기 전날 밤, 아이들이 'Dear Miss. Eujean.' 꼭꼭 눌러 써준 정성 어린 편지에 하염없이 흘리던 유진의 눈물 콧물은 이국에서의 한 여름밤 꿈이 될 수도 있었다. 그냥 다시 일상으로 돌아와, '거긴 거기고, 여긴 여기'란 생각으로 살 수도 있었다. 그러나 유진은 여행을 통해 마주한 그곳이 던져준 질문에 순수하고 진지했고, 그 질문에 대한 자기 영혼의 반응에 진심이었다.

그래서 유진은,
인생의 길이 '달라지게' 되었다.

유진은 중 3을 마침과 동시에 한국에 있는 프랑스학교로 전학을 갔다. 영어는 잘했지만, 프랑스어는 유치원생도 안 되는 수준에서부터 시작해야 했다. 사실은 큰 모험이었다. 그러나 가슴이 말하는 것은 때로 사고의 검증을 초월한다는데, 가슴 뛰는 일을 위해 인생에 시간을 써볼 기회는 아무에게나, 아무 때나 주어지지 않는 것이었다. 유진에게는 그 순간이 바로 '그때'였다.

유진은 낯선 학교에서 새로운 언어에 적응하느라 아주 바쁜 시간을 보냈다. 고생스러웠지만 한해 한해 지날수록 공부에 조금씩 자신감이 붙었고 의대에 지원했다. 진급시험인 빠세스PACES를 통과하고, 전공학과마다의 어려운 시간도 다 겪어내고, 지금은 어느덧 졸업반, 환자의 골수도 뽑고 찢어진 이마도 꿰맬 줄 알고 불어로 환자 문진도 능숙히 할 줄 아는 인턴이 되었다.

아프리카로의 여행은 유진의 인생길을 다르게 만들었다.
여행에 있어 장소가 주는 영향력은 이같이 대단하다. 여기서 말하는 '장소'란 아프리카라는 땅덩어리, 공간만을 의미하지 않는다.

장소란 그 자연환경뿐 아니라 그 공간에 켜켜이 쌓인 역사적, 사회적 기억과 문화의 상호적 의미 작용 속에서 '낯선 여행자인 우리에게 말을 걸어오는 그 모든 것'이다.

같은 아프리카 땅을 가도 모두가 유진처럼 반응하지는 않는다. 하지만 여행길을 떠나는 모든 이들에게는 한사람, 한사람마다 '각기 다르게', 어떤 장소만이 던져주는 질문, 어떤 장소만이 느끼게 하는 감정, 어떤 장소만이 떠올려 다시 기억나게 하는 내면의 소중한 것들이 있다. 독일의 철학자 마르틴 부버Martin Buber는 '모든 여행엔 여행자도 알 수 없는 비밀스러운 목적지가 있다'고 했다.

오직 나에게만 특별한 반응이 일어나는 장소란 바로, 나만의 비밀스러운 목적지로 인도하는 문門이 있는 곳이다.

우리가 세상을 향해 열려 있고 말랑말랑한 영혼을 소유했다면 여행을 하면 할수록 장소와 관계와 시간을 엮어내는 능력이 점점 뛰어나게 된다. 뉴욕의 번화가 고층빌딩 숲 사이에서든, 마다가스카르의 바오밥나무 아래서든, 장소를 제대로 감각하고 향유하며 해석하고, 장소와 나 자신과의 대화를 시와 노래로 끄적이며, 결국은 그 장소가 내 안에 남긴 흔적을 소중히 간직하고 집에 돌아올 수 있게 된다.

여행의 장소는 우리에게 말을 건다.
내게 말을 거는 소리가 들리는 곳,
그곳은 내게 특별한 곳이다.

내게 말을 거는 소리에 귀를 기울이면,
그리고 그 말에 뭐라도 반응하면…
그것은 우리의 기억에, 우리의 의식에, 우리의 마음에,
그리고 우리의 몸에 흔적을 남긴다.

당신만의 비밀스런 목적지로 인도하는 문을 찾아내기를.

그리고, 당신의 갈 길을 보여줄 그 문이 열리기를….

_1

끌리는 장소가 있나요

01

이국으로의 끌림

"이국적인 장소에 마음이 끌려?"

디자인 스튜디오에 있던 친구들에게 물어본 적이 있다. 저마다 화색이 돌며 "물론!"이라고 했다. 각자의 성격에 따라 "나랑 다른 문화가 신기해서 흥미롭지 뭐." 덤덤히 말하는 애도 있었고, "비행기만 생각해도 설렌다."는 소녀같은 애도 있었고, "아--떠나고 싶다!"고 탄성을 지르는 애도 있었다. 어찌 되었든 그 자리에 있던 모두가 여러 이유로, 이국적인 장소에 '끌린다'고 했다.

존 사이먼드John. O. Simond의 책 『조경 건축』에서는 인간이 심리적으로 끌리게 되는 공간 조건 중 하나로 '이국적인The exotic' 것을 얘기한다. 그의 말처럼, 인간은 오랫동안 익숙해 온 타성에 젖은 공간을 벗어나 이질적이고 색다른 분위기 속에 놓이게 될 때, 이전 공간과의 독특한 차이에 호기심과 매력을 느낀다. 새로움을 향한 이탈의 욕망은 그것이 비일상성에 대한 호기심과 모험의 추구 때문이든, 현재 상황으로부터 변화와 탈출이 필요해서든, 위대한 타국의 문화와 예술에 대한 로망에서든 우리에게 저마다 다양한 이국적 장소를 갈망하게 한다. 지금의 시대는 직접 그 먼 땅에 가지 않고도 여러 매체를 통해 이국의 문화와 분위기, 일상까지 즐길 수 있는 가상여행이 가능한데도 사람들은 책이나 사진, 영상으로 본 '끌리는 장소'를 더욱 자기 눈으로 확인하고 싶어 한다. 사람들은 '몸으로 직접 그 장소를 찾아가' 땅을 밟고 오감을 열고 공간과 소통하고 싶어 한다.

이국적이라 느끼게 해주는 장소는 '평소에 볼 수 없던 것들을 볼 수 있는 곳'이다. 그래서 이국적 장소에 관한 생각은 자기가 태어나고 자란 곳에 따라 사람마다 문화마다 당연히 다를 수밖에 없다. 나의 미국, 프랑스, 이탈리아 친구들에게 이국적 장소란 '동양적인oriental' 공간이었다. 친구들은 한국의 풍경소리가 울리는 템플스테이나 일본의 젠Zen 스타일 정원 혹은 전통 료칸 같은 곳이 신비롭게 느껴진다고, 꼭 한번 가보고 싶다고 했다. 동아시아에서 온 나와 몇몇 친구들은 물론 그들과 관점이 달랐다. 고즈넉한 산사의 풍광이나 정갈한 료칸의 오모테나시(환대) 분위기, 작은 그릇에 특유의 풍미와 색상을 느끼게 하는 가이세키가 일본만의 독특한 매력을 느끼게 해 주지만, 거리상으로 가까운 나라에서 봐온 것들이란 생각에 그런 류의 정서로 '이국적'이란 단어가 떠오르진 않았다. 아무래도 '이국적'이란 단어의 뉘앙스에는 아주 먼 나라— 신석정 시인의 그 먼 나라에 대한 시처럼, 쉽게 갈 수도 접할 수도 없는, 멀고도 먼 나라에 대한 아련한 동경이 있나 보다.

대만에서 온 린은 지중해에 있는 그리스 자킨토스Zakynthos 섬에 보트만으로 들어갈 수 있는 나바지오Navagio 해변이나 폴 세잔의 고향 엑상프로방스의 끝없는 라벤더밭 같은 유럽의 풍광이 설레는 이국적 공간이라 했다. 자기 나라에선 볼 수 없는 바다와 들판의 색이 있어서 그런 것 같다고 말하는 그녀는 컴퓨터 배경 화면을 통해 우리가 접하곤 하는 환상적인 자연의 뷰를 말하고 있었다. 누가 봐도 이국적이지만, 어쩐지 좀 진부한 경치 말이다.

이 대화의 끝에 우린 결국 웃고 말았다. "넌 아시아, 난 유럽!, 서로 너희 대륙이 설레는 장소라 하면서, 정작 우린… 다 미국에 와있네! So~~ funny!"

이국異國,

내가 사는 곳과 '다름'을 느끼게 하는 곳.

다른 날씨, 다른 발음의 언어, 다른 음식의 향,

거리에서 흘러나오는 다른 선율의 음악,

간판에 쓰인 다른 느낌의 글자체,

다른 것들이 주는 그 묘한 즐거움을

찾아 나서는 당신.

당신에게 끌리는 이국적인 장소는 어디인가?

먼 곳으로 떠나고픈 갈망

내게, 끌리던 이국적인 장소는 어디였을까?

그래, 나는 늘 사막 같은 곳이 좋았다.

미국에 있을 때도 가장 끌렸던 도시는 뉴욕도 시카고도 샌프란시스코도 아닌, 뉴멕시코주의 작은 도시 산타페Santa Fe였다. 붉은색 태양과 노을, 사막 같은 평원 위의 선인장과 메마른 식물들, 숭고하고 거친 대지의 황량함이 왠지 좋았다. 사랑받는 풍경사진작가이자 20세기 사진의 대중화를 끌어낸 엔젤 아담스Angel Adams가 뉴멕시코를 찍은 〈헤르난데스의 월출 Moonrise over Hernandez, New Mexico〉을 MoMA에서 봤을 때, '인간이 자신의 힘과 능력 바깥에 있는 것과 대면했을 때 비로소 느껴지는 외경스러움'을 조금은 알 것 같았다.

실제로 내가 만난 뉴멕시코는 아담스의 사진에서 보이는 아름답고 광활한 사막이라기보다 관목 덤불과 돌밭 천지에 쓸쓸한 기운이 감도는,

'광막함'이 있는 곳이었다. 나는 그런 광막한 사막이 좋았다.

우주와 맞닿은 것 같은, 별이 쏟아지는 사막은 경이로울 뿐 아니라 압도적인 아름다움으로, '나'라는 존재의 미미함을 느끼게 했다. 내가 우주의 먼지임을 느끼게 하는 공간… 에는 역설의 비밀이 있었다. 위대함 앞에 내가 작아짐을 느끼는 순간, 내가 가지고 있는 문제들도 작게 느껴졌다. 위대한 것 앞에 나의 내면이 고요해짐을 느끼는 순간, 내 머릿속의 시끄러운 생각들도 같이 다 잠잠해졌다. 내 안의 잡음이 사막의 고요 속으로 흡수되어 버렸다. 그곳은 광막한 사막에 핀 마른 꽃같이, 강인한 생명력으로 나를 다시 살아나게 했다.

꽃과 사막의 화가라 불리는 조지아 오키프Georgia O'keeffe는 나보다 한참 먼저, 이곳의 스피릿을 사모한 작가다. 그녀는 1917년, 기차 여행 중 우연히 본 뉴멕시코의 풍경에 사로잡혀, 1929년부터 여름을 거기서 나기 시작했고, 1949년, 도시 생활을 완전히 청산하고 산타페 북서쪽, 아비큐Abiquiu에 정착했다. 새로운 장소를 사랑하게 되는 건 한 사람을 만나 사랑하게 되는 과정과 비슷한 면이 있는 것 같다. 우연히 상대에게 마음이 사로잡혀 좀 더 알고 싶은 끌림으로 이어지고, 그러다가 본격적으로 알아가기 시작하고, 결국 계속 같이 있고 싶어 정착하게 된다.

내가 이곳에 매료되었던 이유 중 하나는 흙집이었다. 어도비adobe라는 푸에블로 인디언의 진흙 벽돌집에 스페인의 전통 건축양식을 혼합한 것인데, 그 소박함이 한옥의 황토벽 같기도 하여 몹시 친근히 느껴졌다. 차이가 있다면, 작렬하는 미국 남서부의 태양 빛에 달구어진 흙벽의 색과 그 강렬한 빛의 음영으로 느껴지는 흙의 질감이 태양을 고스란히 머금은 흔적이라고 해야 할까, 한국의 것과는 조금 달랐다. 바로 오키프의 집도 이 어도비 스타일의 집이었다. 그녀는 그 집에 살면서, 98세에 한 줌 흙으로 산타페에 묻히기까지 사막이 주는 특별한 고독의 감정을 사실주의와 추상을 오가며 표현했다.

그녀의 작품에는 뉴멕시코의 풍광뿐 아니라 사막에서 수집한 개인적인 오브제들이 즐겨 묘사되었는데, 특히 그녀가 사랑했던 (햇빛에 하얗게 육탈된) 동물의 뼈와 해골과 뿔들은 메마른 사막에서 한줄기 보이는 생명의 빛과 강인함을 느끼게 했다. 산타페에 가면 그녀가 수집한 것과 같은 염소나 양의 뿔이 달린 해골을 파는데, 어느 가게에서 좀 싼 값에 구입해 소중히 싸들고 왔다. 거실 한구석에 둔 그 특별한 해골에 가끔 시선이 갈 때마다, 그녀의 작품에 그려진 먼 나라의 메마른 땅이 생각난다. 산타페에 가려면 비행기를 두 번이나 갈아타야 하니, 멀게 느껴지고…, 그러니 더 그리워진다. 이 그리움은 '펜뷔Fernweh: 먼 곳에의 그리움'이라는 독일어 단어를 내게 처음 알게 해준 작가, 전혜린의 글에 이렇게 표현되어 있다.

그리움과 먼 곳으로 훌훌 떠나 버리고 싶은 갈망, 바하만의 시구처럼 '식탁을 털고 나부끼는 머리를 하고' 아무 곳이나 떠나고 싶은 것이다. 먼 곳에의 그리움Fernweh! 모르는 얼굴과 마음과 언어 사이에서 혼자이고 싶은 마음! 텅빈 위胃와 향수를 안고 돌로 포장된 음습한 길을 거닐고 싶은 욕망. 아무튼 낯익은 곳이 아닌 다른 곳, 모르는 곳에 존재하고 싶은 욕구가 항상 나에게는 있다.

전혜린, 『그리고 아무 말도 하지 않았다』 中

낯익은 곳이 아닌 곳에 존재하고 싶은 욕구가 있는가.
당신도 먼 곳이 그리운 적이 있는가.
당신이 끌리는 그 먼 땅은 어디인가.

당신의 그 먼 이국은 어디인가.

낯선 땅에 오면 막 힘이 솟아. 이해할 수 있지?

에쿠니 가오리,『냉정과 열정사이』中

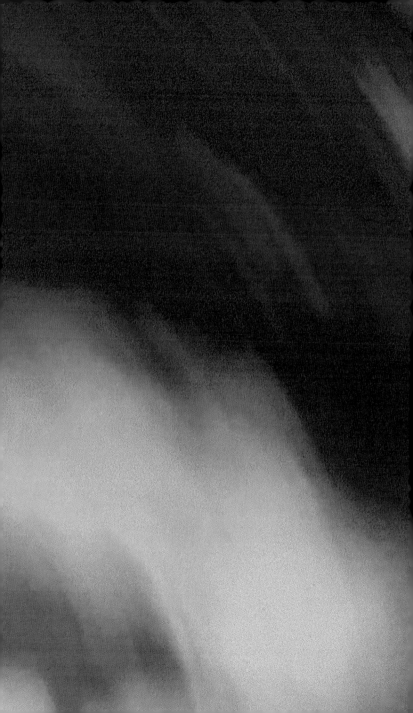

_2
내게 말을 거는 여행의 장소

03

따스한 햇볕이 그리운 이에게

몇 해 전, 케이가 이국의 따스한 햇볕이 그립다고 했다.

굳이 한국이 아닌, 이국의 햇볕이 그립다 한 이유는 그녀를 아무도 알아보지 못하는 곳이 간절했기 때문이다. 참 오래 연애하고 많이도 사랑했던 남편과 별거 중인 그녀는 오랜 시간 깜깜한 골방에 있는 듯 집 밖을 나오지 못하고 밤에도 낮에도 잠을 자지 못했다. 공황장애가 심해져서 숨이 멎는 줄 알았던 날도 그녀는 괜찮다고 했지만, 의사 선생님은 옆에 있던 내게 '절대로 괜찮지 않다.'고 했다. 총에 맞아 피를 철철 흘리고 쓰러져 도저히 일어날 수 없는데, 배로 기어가면서 "나 괜찮아"라고 하는 것과 같다고 했다.

배신의 순간보다 더 힘든 것은 배신 그다음의 남은 날들이다. 아프고 쓰라린 기억들은 미움의 대상도 아닌 다른 사람을 대하는 마음의 온도마저 낮춰버린다. 사랑으로 살아야 할 우리의 에너지를 모두 고갈시켜 버린다. 그래서 그녀에겐 얼어붙은 몸과 마음의 온도를 높여줄 따뜻한 곳, 눅눅한 마음을 꺼내 말려줄 눈부신 햇살이 있는 곳이 필요했다. 기분이 전환되고 어린아이처럼 순수한 상태로 돌아가 웃을 수 있는 곳, 신선하고 맛있고 건강한 음식들로 없던 입맛을 다시 돋워줄 수 있는 곳, 사랑할 기력이 바닥난 에너지를 충전시켜 주는 곳, 새롭게 살아보고 싶다는 열망을 불러일으켜 주는 곳, 그녀를 내일로 인도해 줄 장소가 필요했다.

"햇살이 있는 곳으로 가자!"

짧은 문구와 함께, 나는 그녀에게 지중해의 햇살이 눈부시게 빛나는 인적 없는 해변의 사진을 하나 보냈다. 그때부터였던 것 같다. 내가 그 누군가들에게 그때 그 시간 필요한 여행의 장소를 추천해 주기 시작한 것이 말이다.

그녀는 진짜 '연중 내내 태양이 빛나는' 그리스의 한 섬으로 여행을 떠났다. 자동차가 금지된 평화로운 섬엔 동물을 좋아하는 그녀를 위해 특별히 준비된 듯 짐을 옮겨주는 귀여운 당나귀가 기다리고 있었고, 그녀가 묵을 숙소의 흰색 돌담 위엔 진분홍 부겐빌리아가 늘어진 사이로 동네 고양이 두 마리가 드러누워 낮잠을 자고 있었다.

그녀는 그곳에서 오랫동안 느릿한 시간을 보냈다. 식전에, 물에 탄 우조 한 모금, 신선한 해산물 요리와 뿌리채소들을 병아리콩, 레몬, 건포도, 올리브 오일, 식초와 곁들여 건강히 먹으면서, 이따금 불어오는 미풍에 레몬 트리 이파리가 하나둘 흩날리는 것을 물끄러미 바라보면서, 식사 후 나른한 오후에 파도 소리를 들으며 낮잠을 오래 자기도 했다. 여름날 그리스 해변에서의 시간은 나도 모르는 사이에 '사라지는 것'이라고 하더니, 바다에서 수영하고 해변에 잠시 누웠다가 보니, 눈 깜짝할 사이 한 달이 지났다고 했다. 시간이 가야 아프고 쓰라린 상처의 흔적이 좀이라도 옅어지는데, 바로 그 시간이 죽도록 가지 않는 케이 같은 이들에겐 그리스 섬마을의 마법이 딱 좋다. 그곳은 시간을 사라지게 하는 비밀한 힘이 있다.

그녀는 엊그제 기나긴 이혼소송을 드디어 마쳤다. 힘든 순간마다 햇살이 눈부셨던 그곳을 기억하며, 이 지루하고도 피곤하고 서글픈 일이 끝나면 그 마을에 다시 가겠다는 생각으로 버텼다고 했다. 그곳은 햇살만 따뜻했던 것이 아니라, 바람도 따뜻했고, 주인아저씨의 미소도 따뜻했고, 당나귀의 선한 눈도 따뜻했고, 새벽에 마시는 한잔의 허브티도 따뜻했고, 발아래 누운 고양이도 따뜻했다고 했다.

모두가 위로의 말을 던지는 듯 그 하나하나에서 온기를 느꼈단 말을 들으며, 그녀가 '오늘 하루'를 아름답고 고마운 것들에 집중하려고 얼마나 애쓰며 그 시간을 견뎠을까 싶어 나는 하마터면 눈물이 날 뻔했다.

그렇게 먼 곳까지 가서도 온통 억울하고 후회스러운 생각들이 꼬리에 꼬
리를 물어, 몸만 그리스 바다에 있지 마음은 번민의 바다에서 허우적거
릴 수도 있었는데…

아주 참 잘 지내다 왔다. 가길 참 잘했다.

헤르만 헤세의 표현처럼, 그녀는 진정 여행을 떠날 각오가 되어있는 사람
이어서 자기를 묶고 있는 속박에서 벗어났다.

FRESH
ORANGE
JUICE
Medium 2.00
Large 3.00

내게 따스한 말을 거는 여행의 장소란
나의 고향에서 오래도록 바랬으나 얻지 못한 것을
가지고 있는 곳일지 모른다.
얼마 전까지도 느낄 수 없었던 따스하고 눈부신 빛,
어떤 편견도 없이 미소 지어주는 사람들이 있는 곳일지 모른다.

내 삶에 혹 부재하거나 결핍된 것이 있는가.
내 삶에 비어있는 부분이 있는가.
그것을 조금이라도 채워줄 수 있는 곳,
그곳에 가면, 간다면, 갈 수 있다면…
내 앓고 있는 모든 것이 다 나을 것만 같은 곳이 있는가.

04

기억해, 아주 오래전의 장소야

너무 아름답고 고요해서 죽고 싶어지는 도시라 했다.

3년간 내가 머물렀던 코넬 대학이 있는 도시, 이타카Ithaca는 여러 개의 폭포와 호수, 빙하기의 흔적이 그대로 남아있는 깎아지른 절벽에 둘러싸여 있어 미국에서 가장 아름다운 캠퍼스라고들 한다. 하지만 호프집 몇개 빼곤 학생들의 스트레스를 발산할 수 있는 문화 공간이 부재하여 미국대학 중 자살률이 꽤 높은 곳이었다. 캠퍼스 안과 근처 두 개의 아름다운 협곡 위에는 일곱 개의 다리가 있었는데, 이 다리들은 꽃 같은 인생을 마감하는 상징적인 장소로 유명했다.

이러한 코넬인들의 유일한 해방구는 바로 3시간 반 거리에 있는 에너지 충전소, '뉴욕 맨해튼Manhattan'이었다. 맨해튼에서 벌어지는 공연과 전시와 이벤트들은 우리에게 즐거운 유혹이자 일탈이었고 디자이너로서의 잃었던 감각을 일깨워 주는 충격제가 되었다. 엔터테인먼트 문화에 굶

주렸던 학생들에겐 비싼 브로드웨이 티켓이 없어도 지하철역 내 플랫폼이든 공원이든 여기저기 길거리 버스킹 공연을 즐길 수 있는 것이 호사였고, 카네기 홀Carnegie Hall 공연에 감히 비할 순 없지만 브라이언 파크Bryant Park에 앉아 쇼팽의 녹턴을 멍때리고 듣는 것도 감격스러운 일이었다. 뉴욕이라는 도시는 산더미 같은 공부와 보장되지 않는 미래에 대한 막연한 두려움을 가진 우리를 무한한 감성의 바다에 떠다니게 했다. 뉴욕의 캔버스 위에는 놀라운 상상력을 통해 그려진 수많은 실험작들이 눈만 뜨면 생겨났고 그것을 보며 우리는 앞서가는 '세련된' 감각을 얻고 미래를 읽었다. 주말 이틀간의 맨해튼 방문이 주는 문명 세계의 유희만으로도 우리의 감성은 99% 충전되었다.

2~30대가 지나고도 살다 보면, 가끔씩 이런 식의 '감성 재충전'이 필요할 때가 있더라. 아이 둘의 엄마가 되어보니 한 아이만 있을 때와는 또 다른 무게의 피곤함이 있었다. 아이 셋 있는 여자는 참으로 복에 겨운 소리라 하겠지만 사람마다 일의 부담과 압박을 받아낼 수 있는 저마다의 그릇 크기와 모양이 있는 것 같다. 아이 셋을 너끈히 보는 여자가 회사 일의 스트레스는 1톤 트럭만큼 느낄 수도 있고, 며칠 밤을 새우며 일해도 지치지 않는 사람이 아이와 하루 놀아주는 일, 집안 대소사에는 반나절 만에 병든 닭처럼 되기도 한다. 나는 그 중간 어디쯤인 것 같은데, 암튼 힘내고 버티다가 알 수 없는 뭔가가 차올라 조금씩 가슴이 답답해지는 시간이 온 것 같았다. 아무도 돌보거나 챙기지 않아도 되고 그저 홀로 있어 가벼웠던 시간, 내가 원하면 당장이라도 어디론가 떠날 수 있었던 시간이 그리웠다.

그즈음 나는 박사논문 주제를 정하는 중이었는데, 예전 자료를 박스에서 뒤적이다가 뉴욕 어퍼웨스트사이드에 있는 까페 랄로Cafe Lalo의 낡은 성냥갑을 발견했다. 톰 행크스와 맥 라이언 주연의 영화 〈유브 갓 메일 You've got mail〉을 하도 좋아해서 보고 또 보고 하니까 남편이 맨해튼에 갔던 어느 날, 영화에 나오는 그 카페에 데리고 가줬었다. 낡은 벽돌로 채워진 벽에 로트렉 그림 비슷한 액자들이 걸려있는 빈티지하고 소박한 곳이었는데, 영화 속 로맨틱하면서도 코믹한 대화 장면이 떠올라, 나도 모르게 미소가 지어졌다.

성냥갑을 보니 영화 속 장면들이 다시 뭉게뭉게 피어올랐다. 나는 늘 영화 속 대사보다 영화 속 '공간'들이 먼저 떠 오르곤 하는데, 노라 에프런 Nora Ephron 감독이 한 장면 한 장면 공들인 뉴욕의 장소들; 화사한 봄날의 리버사이드 파크, 계절 과일과 채소와 꽃냄새가 싱그러운 파머스 마켓, 뉴요커들이 출근 전 커피 한 잔 사러 들르는 브로드웨이의 스타벅스, 예쁜 전구들로 크리스마스 장식을 한 콜럼버스 에비뉴의 작은 북 샵의 파사드가 생각났다. 톰 행크스가 커피를 주문하며 '스타벅스 주문 시 결정해야 할 6가지 옵션(short/tall, light/dark, caf/decaf, low-fat/non-fat)'을 나레이션 해주는데, 처음 뉴욕 카페에 서서 내 주문 차례가 다가오는 걸 두근두근 긴장했던 순간도 떠올랐다. 어느덧 내 기억은 홀로 뉴욕에 가 있었다.

뉴욕이 그리웠다. 그리움에, '깊이 스며들거나 멀리까지 미치다'는 뜻의 '사무치다'라는 말을 더할 정도로 애틋하게, '단 10분 만이라도 낙엽 쌓인 센트럴 파크를 걸어보고 싶다'는 마음이 들었다.

하지만 자유를 갈망하는 맘이 피어난 게 어쩐지 좀. 가족들에겐 미안하고, 누구에게도 들켜선 안 될 비밀 같았다. 게다가, 꼭 만나야 할 '사람'을 그리워하는 것도 아니고 '뉴욕의 에너지와 바이브'라니… 참. 내 안의 내가 하나가 아닌 것 같은 기분, 머리로는 이걸 해야 한다면서 가슴은 저걸 원하는 그런 상태였다. 나도 모르게, 어떻게 하면 이 솔로 여행을 감행할까 궁리하고 있는 나를 봤다. 여러 시나리오를 생각하고 있었다. 가장 그럴싸한 핑계는 논문 주제로 생각하고 있는 '회복력 있는 도시'의 디자인 사례로, 9.11 메모리얼 부지를 다시 방문해서 조사한다는 것이었다. 그래도 반은 진실이었는데, 남편은 90% 믿어준다는 눈빛을 보여주었다.

3주 후, 나는 가을비 내리던 어느 날, 뉴욕 JFK 공항에 내렸다. 맨해튼의 작은 호텔에 짐만 던지고, 흘러가는 시간이 아까워 무작정 거리로 나왔는데…, 좀 걷다 보니, 길가의 허니 로커스트Honey Locusts (맨해튼의 가장 흔한 가로수) 황금빛 꿀색 낙엽들이 가을비에 젖어 온 바닥에 흩뿌려져 있었다. 나무 사이사이 앤틱한 가로등이 서 있고, 저기 모로코쯤에서 오신 핫도그 장사 아저씨의 리어카도 보였다.

그제야…. 오래전 그 장소의 감각이 되살아났다.
뉴욕New York이구나!

기억해, 아주 오래전의 장소야
Remember, is a place from long ago

기억해, 네가 아는 모든 것으로 가득 차 있어
Remember, filled with everything you know

George Fenton, Remember(You've got mail soundtrack)

누구나 좋은 추억이 담긴 장소는 오랫동안 잊히지 않는다. 행복한 감정과 장소가 같이 기억되기 때문이다. 아빠와 처음 갔던 야구장의 눈부심과 함성, 한여름 밤, 연인과 같이 맨발로 촉촉한 잔디를 밟으며 걸었던 공원, 무지개다리를 건넌 나의 개와 함께 파도와 모래사장 사이를 뛰놀던 바닷가 소풍. 눈을 감아 보이는 상상만으로도 좋지만, 그 추억의 장소를 한 번쯤은 다시, 가보고픈- 만나고픈- 끌림이 있다.

내게 그리운 목소리로 말을 거는 여행의 장소란
아주 오래전, 행복한 기억 속의 장소일지 모른다.
묘하게 친숙하고 아늑한,
내가 사랑하는 아름다운 모든 것으로 채워진 곳일지 모른다.
내 맘 깊은 곳에 아직도 그리운
잔잔하고 소소한 일상의 기억들이,
며칠 밤을 새워도 피곤치 않았던 청춘의 열기가,
너무 곱게 사랑했던 누군가와의 시간이
노을처럼 그윽한 빛깔로 물들어 있는 곳일지 모른다.

오래전 그때의 순수로, 그때의 열정으로 돌아가라고
내게 말을 거는… 그런 곳이 있는가.

내 마음 깊은 곳에 아직도 그리운,
행복한 기억 속의 장소가 있는가?

추억은 우리가 온기를 지키며 살아가도록 위로를 전하는 힘이 있다.

05

전 파리로 갈 거예요

4월에 벚꽃이 피면 한 번씩 생각나는 얼굴.

씨엘은 허리까지 오는 긴 생머리에 살짝 웃는 모습이 매력적인 여학생이었다. 수업에 제출하는 과제마다 감각이 뛰어나 깜짝 놀라곤 했는데, 잘했다고 칭찬하면 어쩔 줄 몰라 하다가 끝엔 늘 "격려 감사합니다."라고 했다. '칭찬 감사합니다'가 아니라 '격려 감사합니다'란 대답을 두어 번 반복해 들은 어느 순간부터 나는, 그녀가 쓰는 '격려'라는 단어 속 숨은 의미에 왠지 마음이 쓰였다.

졸업을 한 달 앞둔 어느 겨울날, 우리 집 앞 카페 C로 씨엘이 찾아왔다. 수업 시간에 소개한 적 있었던 파리의 도시디자인을 보면서 파리가 너무 매력적이고 가슴 설레었다고 했다. 다이어리 첫 장에 붙인 엽서를 보여주면서 자기는 벚꽃 피는 계절에 파리로 갈 거라 했다.

엽서엔 벚꽃이 팝콘처럼 핀 나무 사이로 저 멀리 에펠이 보이는 트로카데로Trocadéro 정원이 있었다. 그녀는 아르바이트해서 비행깃값을 모으면서 프랑스말도 배우고 있다고 했다.

4월이 끝나가는 파릇한 어느 날, 파리로 잠시 여행을 다녀온 그녀가 작은 안젤리나 초콜릿을 들고 카페 C로 다시 나를 찾아왔다. 이번엔, 파리로 유학을 가겠다고 했다. 부모님의 반대로 원하는 미술대학에도 가지 못하고, 대학 4년 내내 계속 풀리는 게 없는 것 같던 자기 인생을… 이젠 자기가 머물고픈 도시에서, 새롭게 시작하고 싶다고 했다. 늘 씩씩한 척했으나 어딘가 히마리 없어 보이던 씨엘의 눈빛이 '새롭게'라는 단어를 말할 때, 순간 반짝 빛이 났다. 나는 진심으로, 너의 실력이 더 큰 세계를 만나면 좋겠다고, 잘 생각했다고 말해주었다. 그리고 얼마 후, 진짜 그녀는 그녀의 가슴에 꽃으로 다가온 도시, 파리로 떠났다.

그녀가 떠나고 2년쯤 지난 어느 봄날, 반가운 이메일이 왔다.
"저, 씨엘이예요. 선생님!"

가끔 궁금해하다 어느덧 그녀를 잊고 있었다. 그간의 이야기를 풀어놓은 긴 편지의 행간에서 상기된 그녀의 목소리가 들리는 듯했다.

"저는 파리에서 아주 잘 지내고 있어요! 선생님.

선생님께 사실, 다 말씀드리지 못했던 얘기가 있는데, 저는 중학교 때부터 죽 열등감 속에 살았었어요. 친구들에게 인기도 별로 없고, 한국 남자애들은 저같이 눈 작고 멀대같은 여자를 좋아하지 않아 계속 모쏠이었어요. 근데 파리에 오니, 친구들이 제가 예쁘대요! 남자애들이 저를 쫓아오기도 하고 얘기하고 싶어 해요. 제 눈이 매력적이고 신비롭대요. 신기하지 않아요? 선생님!"

자기가 매력적이란 소리를 들었단 표현을 쓸 아이가 아닌데… 센강에서 찍은 셀카 속의 활짝 웃는 씨엘은 완전히 다른 사람 같았다. 검정 가죽 재킷 때문만은 아닌 것 같고, 눈화장이 짙어진 것 때문만도 아닌 것 같은데, 암튼 완전히 딴 사람처럼 예뻐졌다.

환대는 사람을 살아나게 하고 응달지던 영혼에 빛이 들게 한다. 생기가 돌게 한다. 꽃망울이 터지게 한다. 다른 누군가의 시선보다 더 아프게 자기 자신이 스스로를 불완전하다고 지적질하던 눈빛을 바꾸어 낸다. 뉴스에 보면 파리는 동양인들에 대한 인종차별이 난무한 것만 같은데, 씨엘은 뭐가 달라서 파리를 그렇게 느꼈을까. 씨엘과 파리는 아주 잘 맞는 친구, 그녀를 있는 그대로 인정해 주고, 그녀만의 매력을 알아봐 주는 친구라고 표현해야 할까?

분명 사람에겐 자기 꽃을 피워내는 시간과 장소가 따로 있나 보다.

덴마크에 몇 달 여행 가 있던 율도 그런 말을 한 적이 있다. 한국에선 자기가 좀 느리고 집에 있기 좋아하니까 자기 성격이 내성적이고 소극적이라고 생각했었단다. 사회생활을 잘하려면 좀 힘들겠단 눈빛으로 사람들이 자기를 바라보는 것만 같아 늘 주눅이 들었었는데, 덴마크에 와서 사람들과 어울리면서는 왠지 모르게 맘이 편안하다고 했다. 사람들 대부분이 서두르지 않고 느긋한 게 자기와 비슷해서, 자기가 내향적이란 생각이나 무기력하단 느낌이 거의 들지 않는다고 했다. 빠르고 편리한 것을 찾기보단 일상의 속도를 늦추고, 먹고 입는 것에서 단순하고 소박한 것을 추구하는 휘게hygge의 나라에서는 자기처럼 혼자 집에서 아늑한 시간을 보내는 생활을 지극히 '정상적'이라 여긴다고, 그래서 자기는 코펜하겐에서 자기 성격을 새롭게 정의하게 되었다고 했다.

나와 뭔가 통하는 듯한 말을 건네오는 여행의 장소란
내가 살아온 곳에선 이제껏 이해받지 못했던 내 모습이
있는 그대로 받아들여지는 문화를 가진 곳일지 모른다.

내가 자라 온 곳에선 남과 좀 다른 나와
비슷하게 걷고 생각하는 사람들이 살아가는 땅인지 모른다.
내게 무심한 시선만 있던 곳에선 경험할 수 없었던
관심과 추앙의 언어를 가끔 말해주는 사람들이 있는 곳일지 모른다.

나와 비슷하게 걷고 생각하는 사람들의 나라는 어디인가?

히브리 속담에 '당신이 사는 곳을 바꾸면 당신의 운도 바뀐다'는 말이 있다. 매주 마주하는 장소에 변화를 주면 나의 운명이나 행동도 변할 수 있을 만큼, 환경의 영향이 크다는 말이다. 뉴욕대 심리학과 교수인 캐서린 하틀리Catherine Hartley도 환경의 변화가 우리의 심리에 미치는 영향에 관해 이와 비슷한 얘기를 했다. 공간을 탐색하고 기억을 형성하는데 관여하는 우리 뇌의 해마는 환경의 새로운 자극에 민감해서, 잘 안 가던 동네 카페에 가보는 것, 잘 안 먹던 음식을 시도해 보는 것, 잘 안 읽던 분야의 새로운 책을 읽어보는 것들이 우리에게 신선한 효과를 줄 수 있다고 한다. 하물며, 먼 이국의 낯선 환경으로 들어가 보는 것이란, 얼마나 신선하고 큰 변화의 시도인가! 혹 나의 삶을 새롭게 바라보게 할지도 모를, 얼마나 기대되고 흥미로운 일인가!

늘 가던 길,
늘 보던 광경,
늘 머물던 곳,
늘 만나던 사람이 있는 곳 말고…

한 번도 가보지 않았던 곳으로 가보자.
거기서 혹 새로운 나를 만날지도 모르니!

06

욕망이 멈추는 나라

땡볕에 인도의 시골길을 걷고 있었다.

저기 길가 흙바닥에 누군가 누워있다. 누가 대낮부터 술을 먹고 낮잠을 자나? 했는데 가까이 가보니, 어느 여인이 긴 머리를 풀어 헤치고 벌거벗은 채 자기가 토한 오물 위에 누워있다. 죽은 줄 알고 멈칫하는데, 아주 미세하게 지렁이처럼 꿈틀거린다. 살아있다! 그녀는 살아 있었다. 입가의 거품을 보니 간질인가? 싶기도 하고, 일단 긴급상황이니 병원에 데려가야겠단 생각이 들었다. 급한 마음에 마을로 뛰어가 릭샤를 불렀다. 릭샤꾼은 지저분한 바닥에 고치처럼 누워있는 여인의 흉측한 몰골을 보더니 자기 릭샤가 더러워져서 태울 수 없다고 고개를 저었다.

"아니, 이거 보세요! 난 외국인이고 이 여잔 당신 나라 사람인데, 당신이 더 도와줘야 하는 거 아닌가요!"

여러 번 간절히 사정했지만, 그래도 거절한다.

인도에서의 마지막 방법이 떠올랐다. 릭샤 꾼에겐 언제나 돈이 제일이다. 원래 받는 금액의 몇 배를 줄 테니 같이 병원에 가자고 큰 제안을 했다. 그런데 릭샤 꾼이 다시 말한다. 이 여자는 이번 생에 저렇게 자기 죗값을 다 받고 죽어야 다음 생에 잘 태어날 수 있다고. 그녀를 위해서 기꺼이 그 돈을 포기한다면서…

그는 뒤도 안 돌아보고 가버렸다.

어디 아는 사람이라곤 사방에 없고, 차도 없고, 그녀를 누일 방 한 칸 없고 나는 완벽한 이방인異邦人, 나는 그녀를 위해서 아무것도 할 수 있는 게 없는 외지인이었다. 그녀는 분명 죽을 것이었다.

그녀를 뒤로하고 길을 나서야 하는데 발길이 떨어지질 않았다. 나는 가방에 유일하게 있던 바나나를 조금 까서 그녀의 손에 쥐어주었다. 마지막 가는 길에 뭐라도 같이 옆에 있는 게 나을 것 같아서… 못 먹을 줄 알면서도, 손에 쥘 수도 없는데도, 그녀 옆에 두었다.

사람의 생명보다 중한 '윤회'에 대한 너무도 확고한 믿음을 검은 유령처럼 대면하고, 뭐라 형언치 못할 슬픔이 온몸에 무겁게 내려앉아 떠나는 발이 질질 끌리는 듯,

걸어도 앞으로 나아가지지 않는 듯했다.

몇 번을 뒤돌아봤다.

그녀의 형체가 벌레처럼 점점 작아져 갔다.

인도에 가기 전, 도미니끄 라삐에르Dominique Lapierre의 『기쁨의 도시La cité de la Joie』를 열심히 몰입해 읽으면서 인도에 대해 어느 정도는 각오하고 있었다. 그런데 내 눈앞에서 진짜 죽어가는 여인을 만나게 될 줄이야.

그 책에는 불쌍한 인도 여인 셸리마가 태아를 파는 얘기가 나온다. 셸리마는 남편이 일자리를 잃은 가운데, 배고파서 우는 세 아이를 바라보며 7개월 된 뱃속 아기를 브로커에게 팔기로 결심한다.
에테르만으로 의식을 잃은 셸리마는 밀매자에게 태아와 태반을 뺏기고 꿀렁꿀렁 출혈이 멈추지 않은 채 죽어가는데, 그 브로커는 셸리마가 아이들에게 쌀을 사주려고 미리 받아서 쥐고 있던 30루피의 돈마저 재빠르게 빼내어 사라져 버린다. 돌팔이 의사도 이 죽어가는 회교도 여인의 몸 위에 그녀의 사리를 덮고 나가버리고, 진료소의 종업원은 (신원을 알 수 없는) 시체들을 해부해서 미국에 내다 파는 곳에 이 가여운 몸뚱이를 넘겨버린다.

그날 밤, 셸리마의 어린아이들은 어딜 갔는지 돌아오지 않는 엄마를 하염없이 하염없이 기다린다. 이 장면은 실제 '환희의 도시'란 뜻을 가진 인도 콜카타Kolkata의 가장 빈곤한 동네, '아난드 나가르Anand Nagar'에서 남몰래 일어나곤 하던 일이었다. 여기 인도의 어느 구석은 이렇게, 누군가에겐 너무도 소중한 사람을 그냥 그대로 죽게 내버려 두는 일이 아무렇지도 않게 일어나는 곳이었다.

이곳에서의 여행은 매 순간 사고의 전복을 일으켰다.
희망을 빼면 아름다울 수도 없고,
감동도 존엄도 느끼지 못할 그런 곳,
생존 자체가 눈앞의 문제인 그곳이 말을 걸어 온다.

너에겐 그들이 바라는 모든 희망이 이미 있어. 넘치도록.

그제야, 많은 걸 누리면서도 무덤덤하게, 당연하게, 별로 기쁘지 않게 매
일을 살아가고 있는 내 모습이 보였다.
한국에선 잘 보지 못했던 나의 모습이,
낯선 거기에서는 선명히 보였다.

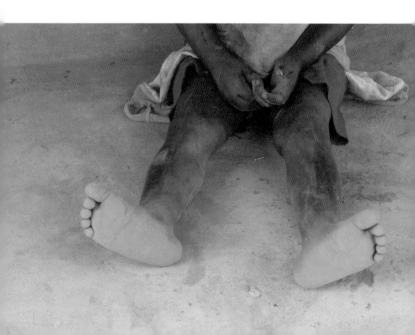

며칠 전, 헤이가 우울증이 심해져 병원에 입원했다는 소식을 들었다. 바이올린을 전공하는 그녀는 예고에 다닐 때부터 워낙 부유한 친구들 틈에서 스트레스가 많았다. 친구들보다 악기가 좋진 않아도 열심히 연습하면 인정받을 수 있다고 여기며 살아왔는데, 이젠 모든 걸 놔버리고 싶다고… 지쳤다고 했다. 같은 과에서 만난 매력적이고 집안도 좋은 친구에게 자기도 모르게 조금씩 스며든 비교는, 친구의 고급스러운 스타일과 곁에 있는 세련된 친구들. 그 모든 화사함에 비해 자신이 칙칙하고 초라하다고 여기게 했다. '저리 밝게 웃을 수도 있구나.' 그마저도 부러웠다. 그런 것들을 채워주는 넉넉한 부모가 없는 서글픔도 들게 했다. 비교 의식은 자신보다 높은 수준의 사람과 자신을 어느덧 비교하기 시작해 점점 스스로를 비참하게 만드는 병이다. 아무도 모르게 마음 한구석 싹 틔워진 열등감은 자라고 자라 온 하늘을 덮는다. 그 사이로 간신히 새어 들어오는 빛만으론, 하루가 너무 어둡다. 일상의 작고 아름다운 것들은 하나도 보이지 않고 어디선가 계속 속삭이는 소리만 들린다. '내가 불쌍하다… 불쌍하다.'

그녀를 그 '이상한 나라'에 데리고 가주고 싶다. 갓난아이의 얼굴과 몸에 파리가 수백 마리 붙어있는데, 그런 아기를 기차역 땅바닥에 두고 엄마는 어딜 갔는지 도무지 나타나지 않는 그런 나라에 가면, 내게 명품을 사주는 부모가 없어도 괜찮다는 걸 알게 된다. 어린아이들이 위험한 것 천지인 쓰레기 더미 위를 맨발로 걸으며 먹을 것을 찾아 헤매는 하루를 보내는 그런 나라에 가면, 내게 더 좋은 브랜드의 신발이 없어 처량했던 마음이 대체 뭐였던가 싶어진다.

보이지 않는 욕망으로 내가 점점 어두워지는 것을 느끼고 있다면,
나를 어둡게 하는 것으로부터 거리를 두고 떠나야 한다.

소란한 소음으로 내 머릿속이 가득 찬 것을 느끼고 있다면,
한없이 산만하고 복잡스러운 마음이 사라지게 하는 곳,
그 어려운 평화를 줄 수 있는 곳을 찾아가야 한다.

생각을 너무 많이 하는 사람들을 가엾게 여기는 사람들의 땅.
고통과 고난을 외면하지 않고 담담히 받아들이는 숭고한 이들의 땅.
욕망이 멈추는 이상한 나라로 가야 한다.
그 땅이 작고 세미하게 내게 말하는 소리를 들어야 한다.

07

난 무엇에 둘러싸여 살고 싶은가

존경하는 분의 책 마지막 장을 덮었다.

읽을 때마다 각기 다른 감동이 있지만, 오늘은 그녀의 사상이나 활동보다 어릴 적 그녀의 꿈에 대해 생각하게 된다. 파리 집 앞 카페, 쁘헤따 몽제에서 라떼 한 잔을 시키고 독후감 비스름한 일기를 써본다. 이번에 다시 파리에 오게 된 것은 곧 의사고시를 앞둔 유진을 격려해 주기 위해서다. 10년 전 함께 아프리카로 여행을 갔다가 '국경 없는 의사회'가 설립된 이 프랑스에 오게 된 유진에게… 아프리카는 어쩌면 운명의 장소였다. 자신도 미처 알지 못했던 비밀스러운 목적지로 인도하는 문이 있었다.

나는 아프리카로 갈 수 있었다.
그리고 나의 인생은 영원히 바뀌었다.

유진보다 58년 앞서 아프리카로 여행을 떠났던 그분의 고백이다.

내가 좋아하는 그녀의 책『희망의 이유Reason for Hope』에는 아프리카로의 여행이 자신의 인생을 영원히 바꾸었다고 쓰어있다. 그녀의 이름은 제인 구달Jane Goodall, 침팬지 행동 연구 분야의 세계 최고 권위자이자 환경운동가다.

1956년 12월 18일, 제인은 가장 친한 친구 클로가 아프리카에서 보낸 편지를 받았다. 편지 위에 붙어있던 케냐 우표 하나에는 코끼리 한 마리가 있었고 또 다른 우표에는 기린 두 마리가 있었다. 클로의 편지에는 자기 부모님이 케냐에 농장을 샀다고, 한번 와보고 싶지 않냐는 내용이 적혀 있었다. 제인은 설레는 마음으로 여행의 경비를 벌기 위해 웨이트리스 일을 시작한다. 봉급과 팁을 저축하고 동전 하나까지도 다 응접실 양탄자 밑에 모으기 시작한 지 꼬박 다섯 달 후, 그녀는 드디어 아프리카로 갈 수 있게 되었다.

친구의 초대로 밟게 된 아프리카 땅에서, 제인은 동물과 함께 일할 직업을 찾고 싶었다. 저녁 모임 후 얻어 탄 차 안에서 누군가, 동물에게 관심이 있으면 고생물학자이자 인류학자인 루이스 리키를 만나야 한다고 했다. 아프리카 사람과 동물들에 대한 깊은 지식을 가지고 있던 리키와의 만남은 결국 제인을 침팬지들의 숲으로 인도했다.

곰베Gombe에서 침팬지와 매일매일을 함께 한 10여 년간의 놀라운 연구 결과는 1965년, 학사 학위도 없는 제인을 곧바로 케임브리지 대학의 동물행동학 박사로 만들기에 충분했다. 제인은 침팬지 등의 야생동물 연구소를 설립하고 전 세계를 돌며 동물보호와 환경보호를 위해 강연하는, 세계에서 가장 영향력 있는 여성 중 한 사람이 되었다.

이 책을 읽다 보면 '인생 장소'와의 만남이 그저 어쩌다 만난 우연의 산물이 아니라, 한 사람의 유아기 때부터 내면에 자리하고 있던 어떤 소망이 기회를 잡을 수 있는 순간, '카이로스Kairos'를 만난 것임을 알게 된다. 제인은 동물학자가 되겠다는 직업적 목표나 구체적 계획을 세우고 아프리카로 떠난 게 아니었다. 그녀는 집안 형편상 대학에도 갈 수 없었고 외국어도 능숙지 못해 학자의 길은 언감생심이었다.

그러나 아프리카에 간 지 얼마 안 된 어느 날 아침, 문득 잠에서 깨어난 제인은 바로 자기가 머무는 작은 캠프 사방에 동물들이 머물고 있고 종종 멀리서 으르렁거리는 사자의 포효가 들린다는 것을 실감한다. 그리고 그제야… 자신이 여덟아홉 살 때부터 아프리카 오지에서 야생동물들 사이에 사는 꿈을 꾸었고, 지금 바로 그때 꿈꿔왔던 장소에 있다는 것을 깨닫는다. 모든 살아있는 동물들에게 매력을 느끼고 생명들을 아끼는 순간순간의 삶이 연속되면서, 그저 놀러 오라는 친구의 별거 아닌 말이었지만, 제인은 아프리카로 가는 기회를 딱 만났을 때! 바로 그 시간을 건질 수 있었다.

카이로스의 시간은 운명이나 숙명, 외부 상황이 아니라 나 자신이 직접 내리는 결정과 밀접한 관계가 있다. 카이로스는 내가 갈망하는 것, 나를 고양해 주는 것이 있는 세계로 날 데려다 줄 바로 그 순간을 포착하는 감각이며, 운명의 궤적을 바꾸는 선택의 용기다. 내 앞에 열린 새로운 갈림길에서 내게도 그 결정적 시간에 대한 감각과 용기가 있는지 한번 생각해 본다.

나에게는 어려서부터 꿈꿔왔던 삶이 있었나?
동물들에 둘러싸여 사는 꿈을 꾸었던 제인처럼,
난 무엇에 둘러싸여 살고팠었나.

제인의 아프리카처럼,
니의 심연에 오랫동안 묻혀 있던 어릴 적 꿈과 열정이 모락모락 피어나게 하는 곳, 기쁨의 불꽃을 일으키는 것들이 기다리는 곳, 알 수 없는 심장의 두근거림으로 내 몸이 반응하게 하는 곳은 어디인가.
괴테가 평생 사랑하고, 그리워하고, 그곳에 있을 때만 내가 인간답게 느껴졌다고 고백했던 '로마'와 같은 곳이 내게는 어디인가.

그런 장소들은… 감히 말하길,
평생 사랑할 일과 사람을 만나게 하는 곳이 될지도 모른다.

나는 무엇에 둘러싸여 살고 싶은가.

08

내가 끌리는 장소는 나를 닮았어

나는 공간 미학을 가르치는 첫 시간에 자기소개 대신 "여러분이 이십 평생 살면서 좋아했던 공간의 이미지를 모두 가져오라"고 한다. 직접 찍은 사진을 찾아오든, 이미지를 가져오든, 손으로 그려오든, 글로 적어오든 생각나는 대로 모두 가져오라 한다. 그 공간은 어릴 적 동생과 둘이 올라가서 킥킥거리고 놀았던 천장 낮은 다락일 수도 있고, 친구와 둘이 손잡고 참새방앗간처럼 들르던 아이스크림 집일 수도 있고, 아빠가 처음 데려갔던 샹들리에가 눈부셨던 호텔일 수도, 바흐의 파이프오르간 소리가 웅장히 울렸던 어느 성당일 수도, 야자수가 늘어서 있던 이국의 바닷가일 수도, 온통 새하얀 눈꽃으로 뒤덮였던 설산일 수도 있다. 좋았던 장소들을 쭉 늘어놓고 보면, 특별히 자기소개를 하지 않아도 나는 그 학생의 인생과 인격이 들여다보인다. 솔직히 가져온 것이라면 말이다.

나는 어떤 곳에 갔을 때 마음이 참 좋았었나.

나는 가끔 몹시도 그리운 곳이 있는가.

나는 언젠가 한 번쯤 꼭 가보고 싶은 곳이 있는가.

나에게 전 세계 어디든 갈 수 있는 비행기 티켓이 있다면,

나는 어디로 가고픈가.

이 질문들에 답을 떠올려 보면 내가 좋아하는 것, 내가 원하고 갈망하는 것에 대해 어렴풋이 알 수 있다. 노트에 눌러 적은 나의 답들을 쭉 들여다봤을 때 기분 좋은 느낌이 밀려든다면 솔직하게 잘 적은 것이 맞다. 그리고 곧 발견할 것이다. 내가 적은 장소들을 관통하는 연관된 그 무엇이 있다는 것을. 그 무엇은 중요한 힌트다.

이런 질문들은 내 생각이 풍부해지게 한다. "네가 원하는 삶은 어떤 거야?"란 질문을 막상 받았을 때는, 말로 표현하기 어렵고 모호한 것의 이미지를 새로운 각도에서 신선하게 떠오르게 한다.

그 떠오른 기억의 장소들은 나만이 가진 수많은 상황과 가치와 철학, 그리고 감정이 선택하고 기억해 낸 세상에서 유일한 곳이다. 사람이란 존재는 비밀한 것 가운데 감추어져 있어서 각기 자신만의 오묘하고 특별한 세계와 역사의 기억을 가지고 있다.

그런데…

떠오른 좋은 느낌의 장소가 어쩌면 나도 속고 있는 장소일 수 있다.

우린 세상에 하나밖에 없는 나를 생각하기보다 사회가 원하는 삶을 살아내려고, 융Jung의 말처럼 가면의 욕망을 강요받고 무엇이 되려 허덕이고 휘둘리다가 정작,

내가 좋아하는 것, 내가 아름답게 생각하는 것에 대해

솔직하게 생각하는 법을 잊어버렸기 때문이다.

남이 멋진 곳이라 평가하는 게 내 기준과 다를 수 있는데도

타인의 시선을 따라, 남들이 좋다는 걸 근사하게 여기고

남들이 선망하는 스타일에 금세 물들어 버리기도 한다.

내 생각과 감정이 오롯이 내 것이 아니다.

그 모든 가면을 걷어내고, 있는 그대로 나의 맨얼굴을 볼 수 있을까?

나는 해체주의가 유행하던 무렵, 역동적이고 긴장감 넘치는 프랑크 게리Frank Gehry, 자하 하디드Zaha Hadid 같은 건축가의 독보적인 작품을 내가 진짜 좋아하는 줄만 알았었다. 남들이 새롭다, 대단하다 하니까 나도 멋지다고 생각했다. 근사해 보였다. 그들이 훌륭한 건축가임을 부인할 수는 없지만, '내가' 좋아하는 스타일이 아니란 걸 발견한 건 많은 도시들을 여행하고 나서였다. 남들이 격찬하는 미래적인 형태와 구조를 가진 유명 공간인데도 직접 대면하니 사진이 더 낫다는 생각이 들고 곧 지루해지는 곳이 있었고, 반면 어떤 공간은 들어서면서부터 내 영혼을 고요하고 편안하게 하면서도 봄바람이 불 듯 살짝 흥분되게 하는 곳이 있었다.

나를 매료시키는 곳, 나에게 조용히 말을 거는 곳은 피터 줌터Peter Zumthor의 공간처럼, 미니멀하지만 모성애적이고 건물의 터와 닮아있는 이해심 많은 건축이었다. 나란 사람에겐 유명하고 눈에 띄게 화려한 디테일을 가진 것보다 소박하지만 깊은 맛, 역사적인 의미, 시적인 해석, 영적인 차원을 느끼게 하는 뭔가가 더 중요한 호감의 요소라는 걸 그제야 알았다.

생각하고 보니, 내가 좋아하는 사람도 그랬다. 똑똑하고 매력적이고 유쾌하고 재밌지만, 깊은 대화는 잘 못하는 사람보단 외적인 배경에 상관없이 사려 깊고 의리 있고 속 깊은 얘기를 할 수 있는 친구가 좋았다. 영화나 드라마에서 나를 뭉클하게 하는 인물도 강렬하게 돋보이는 주인공보단 평범한 조연이지만 마음에 잔잔한 파문을 일으키는 그런 역할들이었다. 힘 있는 자들도 다들 침묵하는 상황에서 나지막이 소신 있는 한마디를 던지는 청년이라든가, 힘든 역경 속에서도 말없이, 의연히, 언제나 봄볕처럼 따스운 할머니 같은 배역 말이다.

물론, 세상도 변하고 나도 변한다. 어제의 내가 끌리던 공간과 현재의 내가 끌리는 공간이 다를 수 있는 것은, 나의 크기가 세상을 또 새롭게 보게 하기 때문이다. 어찌 되었든, 현재 내가 끌리는 공간과 현재 내 삶이 지향하는 방향은 닮아있다. 현재 내 마음을 사로잡는 도시와 현재 나의 내면 깊숙이 그리는 행복의 이미지도 닮아있다.

내가 끌리는 장소와 나는 닮았다.

모든 일을 멈추고 생각한다. 잠시 돌아서서.

그런 시간이 더 있었더라면

지금의 삶이 어떨까.

_3
지구에 머물러 있는 동안

09

나는 지구를 얼마나 아는가

조경 이론을 담당하시는 갓프리드 교수님께서 들어와 간단한 자기소개 후, 갑자기 모두에게 눈을 감으라 하셨다.

"자. 이제부터 우리는 순간이동을 합니다! 내가 말하는 문장 그대로, 각자 상상을 해 보는 겁니다. 말이 다 끝날 때까지 눈뜨지 마시고!"

나는 눈을 감고, 말을 놓칠지 싶어 열심히 귀를 기울였다.

"자, 공간여행을 시작합니다. 여기는 아마존 밀림 한가운데입니다. 사방에 200ft도 더 되는 큰 나무들이 하늘까지 빽빽이 치솟아 하늘이 거의 보이질 않네요. 무성한 덩굴식물과 이끼, 고사리들이 몸에 닿고, 바닥에서 올라오는 축축한 흙 향기가 코끝에 진하게 느껴집니다. 여러 종류의 새와 동물 울음소리가 사방에서 들려옵니다. 안개가 자욱하게 낀 열대우림의 한가운데 내가 서 있습니다."

나는 그 당시 (정글에 가 본 적이 없어서) 이 말을 들으며 타잔이나 정글 북 영화에서 본 듯한 장면을 상상했다. 모두 숨죽이고 있는데, 다시 교수님의 말이 이어졌다.

"자, 이제 공간을 이동합니다! 우리는 사하라 사막 한가운데로 갑니다. 머리 위론 태양이 이글거리고, 눈앞엔 광활하게 펼쳐진 주황색 모래언덕들이 있습니다. 숨이 막힐 듯한 뜨거운 기운이 느껴지고 모래 위로 아지랑이가 피어올라 아른거립니다."

나는 또다시, (사막에 가 본 적이 없어서) 언젠가 TV에서 봤던 사막의 이미지를 떠올렸다. 그렇게 상상을 시도하기를 서너 번. 점점 이런 생각이 들었다. '난 그리도 여행을 많이 했는데, 대체 뭘 본 거지? 이토록 가본 데가 없다니…!' 충격이었다.

나는 늘, 아주 비슷한 수백 개의 도시를 다니고 있었던 것이다.

나 자신이 교양 있는 여행가라고 생각했음에도 문화적으로 완전히 한쪽으로 치우쳐 있었다는 것을, 그날 깨달았다.

이 상상 수업에서 결론적으로 배운 것은 지니어스 로사이Genius loci라는 라틴어 용어의 개념이었다. 지니어스 로사이는 로마신화에서 어떤 고장을 수호하는 정신을 말하는데, 현대에서는 '장소의 정신 spirit of place' 또는 장소의 본질로 번역된다. 이 개념은 건축, 도시계획, 문학, 철학 등 다양한 분야에 널리 퍼져 있는데, 건축에서는 종종 '그 지역만의 고유한 풍토와 개성'이 건물이나 경관 디자인에 미치는 영향을 설명할 때 사용되

곤 한다. 아열대 밀림은 밀림대로, 사막은 사막대로, 화산, 협곡, 숲, 습지, 산, 폭포, 강, 호수, 섬, 바다는 각기 그 독특한 지리적 특징대로, 그 장소만의 숭고함을 가지고 있으므로 그것을 먼저 잘 느낄 줄 알아야 하고, 이를 존중하는 자세로 디자인해야 한다는 것이다. 교수님은 너희가 진짜 그 부지에 맞는 디자인을 하기 원한다면, 신이 창조한 놀랍고 다양한 공간들을 찾아가 그 장소만의 스피릿을 감각하는 연습을 해 보라고 하셨다. 끊임없이, 평생.

그 첫 수업은 이후 내 여행의 장소를 고르는 데 지대한 영향을 끼쳤다. 그날, 내가 미처 경험해 보지 못한 지리적 경관을 노트에 끄적여 보며 알았다. 어렸을 적 내 방에 있었던 축구공만한 지구본을 오른손으로 빙빙 돌릴 때, 왼손가락 끝에 살짝씩 닿았던… 그 울퉁불퉁한 표면이 얼마나 경이로운 형상들인지… 한 번도 생각해 본 적이 없었다는 것을.

나는 그때부터 지리에 관련된 자료, 특별히 '지도 보기'에 관심을 두기 시작했다. 지도 보는 재미를 알게 된 것에는 나보다 나이가 서른 살이나 많았던 친구, 캐시 부부의 영향이 컸다. 캐시와 남편 존은 시니어 모델들이었는데, 은퇴 후 자유롭게 여행하며 산다고 소유했던 집을 정리했다. 집 판 돈으로, 모델 일이 없는 사이사이, 함께 세계 곳곳을 다녔다. 그래서 동양인인 나를, 아시아를 여행하는 마음으로 흥미롭게 대하는 듯했다.

존은 독특한 취미가 있었는데, 자기 전 침대에 누워 돋보기를 들고 지도를 '아주 열심히' 들여다보는 것이었다. 그는 주로, 다음 여행지 근방의 지리를 들여다보는데, 특이한 건 그 사이사이에 자기 동네 지도를 애정을 가지고 읽고 또 읽는다는 거였다. 내가 관심을 보이니 존은 신이 나서 이지도, 저 지도를 펴고 지역마다 그 독특한 지형과 어우러져 수만 갈래 길이 난 모양새가 어떤 이유와 의미가 있고, 어떻게 아름다운지, 자기가 발견한 진리들을 늘어놓느라 말이 끊이지 않았다. 지도를 머릿속으로 그리며 여행할 상상을 하면 최고의 잠을 준비할 수 있다고 했다. 캐시가 옆에서 고개를 절레절레하며, 존은 도로 번호도 몽땅 외우고 있다고, 진짜 못 말린다고 했다. 나는 존에게서 지도 보는 법과 지구의 모든 지리에 대한 애정을 배웠다.

'여행 희망 목록'을 다시 작성했다. 이전 여행과는 다른 지형을 '걷고', 색다른 기후 속에서 '생각해 보고' 싶은 열망이 강렬히 들었다.

COLONIES FRANÇAISES

COLONIES FRANÇAISES

AMÉRIQUE SEPTENTRIONALE

GRAVURE ORIGINALE - 1851

우리는 지구의 색다른 면모를 얼마나 알고 있을까.
눈감고도 걸을 수 있게 익숙한 지질과 지리와 기후,
모든 걸음을 예상할 수 있게 길들여진 땅에서 벗어나
내가 사는 곳과 '다른' 기후와 '다른' 지형의 지구를 만나자.

정해진 장소는 없다.
다만 돈으로 살 수 있는 능력이 적은 자에게도
지구별 위 모든 아름다운 것들은 거저 주어졌음을 기억하자.

우리 모두에게.

10

숭고한 장소

연암의 기행문을 세 번째 읽고 있다. 18세기 여행지에 대한 묘사도 흥미롭지만, 무엇보다 연암 자신이 새로운 장소를 만날 때마다 느끼는 상세하고 솔직한 감정을 읽는 것이 친구의 편지를 대하듯 즐겁다.

1780년 여름, 마흔네살인 연암 박지원은 왕의 명령을 받아 거대한 제국 청에 사신으로 가며 압록강을 건너 국경을 넘는다. 당시 조선인에겐 '외국'이라는 개념조차 없었던 때였다. 말로만 듣던 거대한 청나라는 어떤 곳일까? 저 대륙의 자연과 도시는 어떤 모양일까? 저 나라 사람들은 어떻게 살고 있을까? 궁금해하던 그가 압록강을 건너고 십여일을 더 가서 만난 요동 벌판은 실로 '어마어마한' 곳이었다.

"한바탕 울 만한 자리로구나!"

그는 감정이 솟구쳐 울음이 터질 정도로 장엄한 장소였다고 고백하며 그의 열하일기에 〈호곡장 好哭場〉이라는 글을 남겼다. 호곡장이란 '울기에 좋은 터'란 뜻이다.

말을 채찍질하여 조금 더 달려 산기슭을 벗어나자, 눈앞이 아찔해지며 벌어진 광경은 어마어마했다. 헛것이 보인 것이 아닌가 할 정도였다. 깜짝 놀라서 말을 멈추고 사방을 휘둘러보았다. 까마득해서 사방의 하늘과 땅이 아득하게 맞닿아 있었다. 그 광경에 나도 모르게 감탄의 소리가 터져 나왔다. "한바탕 울 만한 자리로구나!"

연암 박지원, 7월 8일 『열하일기』中

장엄한 경관을 보면 눈이 휘둥그레지고 입이 벌어져 탄성이 나오는 걸 이렇게도 표현할 수 있구나!

그 대상이 인간을 압도하는 초월적 힘을 느끼게 하는 경우, 우린 어떤 경외감, 정서적 황홀경, 넓은 의미에서 '미美'의 감정을 경험한다. 이 벅찬 감정에 대해 미학에서는 '숭고the sublime'라는 용어를 사용하는데, 인간이 도달할 수 없는 높은 경지에서 느끼는 아름다움을 말한다. 18세기 초부터 체계적으로 완성되어 온 숭고의 개념은, 사람들에게 점차 인식되면서 압도적인 느낌의 자연이나 예술을 경험할 때 쓰는 감탄과 찬사의 언어가 되었다. 이 말을 들은 사람들은 이제 그게 의미하는 것이 어떤 느낌인지 이해하게 되었다.

여행지를 정할 때 어느 곳을 가야 할지 잘 모르겠다면, 가장 기초적이고 쉬운 선택은 '숭고한 장소'를 방문하는 것이다. 숭고한 장소들은 개인의 취향과 상관없이, 많은 조사와 깊은 사색 없이도 웬만하면 누구에게나 순간적이고 직관적인 감동을 준다. 이구아수Iguazu 폭포같이 어마어마한 스케일의 장소, 혹은 절경에 이르면 시간 가는 줄 모르고 바라보면서 오래 그곳에 머물게 된다. 그곳엔 나의 발과 시간을 멈추게 하는 힘이 있다. 그리고 그곳엔, 내 안에 더 자유롭고 더 겸손한 마음이 물보라처럼 일어나게 하는 그 무엇이 있다. 세상에서 아주 바쁘고 분주하게 내 재력과 인맥과 명예를 위해 '내가 확장되는 즐거움'으로 살다가 비로소 '내가 작아지는 즐거움'이 뭔지를 속삭여 주는 그 무엇이 있다.

밤하늘을 물들인 오로라 커튼에 넋을 잃게 하는 캐나다의 옐로나이프 Yellowknife나 노르웨이의 트롬쇠Tromso, 위도 60-70도 사이의 숭고한 장소들은 이런 우주의 위대한 아름다움을 감각하지 못한 채, 이 작은 지구, 작은 나라, 그 안의 작은 동네에서 일어나는 사소한 일에 신경 쓰며 연연해하는 나를 돌아보게 한다. 또, 그랜드 캐니언Grand Canyon같이 광대한 협곡에 장구한 시간의 흔적이 켜켜이 새겨진 숭고한 장소들은 역사의 점 같은 '순간'을 사는 나를 돌아보게 한다. 수백만 년 전 지질학적 시간으로 걸어 들어가 어제의 영원한 시대로 빠져들어 가는 경험은, 나의 한계를 인정하며 비논리적 세상에 다시 담담히 서게 하기도 한다.

나는 그리스의 메테오라Meteora에서 그런 감동을 받은 적이 있었다.

메테오라. 그리스어로 '공중에 떠있다'는 지명 그대로, 길도 없고 접근도 어려운 높디높은 사암 봉우리들 위에 쓰러질 듯 위태롭고 아름다운 여섯 개의 수도원이 천년의 풍상을 견디며 자리 잡은 곳.

나는 오래전부터 이런 은둔자들의 공간에 꼭 한번 와보고 싶었다.

일이 몰아치듯 많아져 내가 어디로 가는지, 제대로 가고는 있는지 방향 감각을 상실했다 싶을 때, 하루가 이것저것 되는대로 갖다 붙인 콜라주 같다고 느껴질 때, 무언가에 절망적으로 고통받지도 않지만, 무언가에 큰 희망을 품고 있지도 않을 때, 사는 이유가 마음에 들지 않을 때, 나는 가끔 눈을 감고 고독하고 추운 사하라의 밤을 떠올리곤 했었다. 언젠가 까를로 까레또Carlo Carretto 수사의 『사막에서의 편지』를 읽고 난 뒤, 사막은 내게 이런 순간, 상상으로나마 내 영혼을 대면할 수 있는 은신처였다. 문명의 불빛으로 가득해 별 하나 보이지 않는 서울 한복판 내 집에 부재한 그 어떤 것을 찾아서 꼭 사막이 아니어도 내겐 가끔 이런 골방이, 나 스스로에게 질문하고 조용히 생각할 장소가 필요했다. 이곳 메테오라는 수도원에 들어가려면 오로지 밧줄과 그물로 만들어진 사다리를 타고 오를 수밖에 없는, 철저히 외부와 차단된 그리스 정교회 소속의 봉쇄 수도원이었었다. 나는 그곳에 가기 전, 아주 좁고 가파른 계단, 조용하고 긴 복도, 불빛이 희미하고 은밀하고 고요한 방을 상상했다. 그리고, 아테네에서 차를 운전해 북쪽으로 4시간이 넘게 올라가 드디어 메테오라를 만났을 때, 나는 사하라 말고 떠올릴 또 하나의 은신처를 가지게 되었다.

수도원 주변을 천천히 거니는데, 어디선가 미풍이 부는 듯 가슴에 닿는 은은한 감동이 있었다. 11세기부터 이 험한 곳에, 바위에 난 구멍을 찾아 들어가 생활하며 터를 잡기 시작한 중세 수도사들이 있었고, 15세기에는 오스만튀르크의 종교 박해를 다 겪어내며 평화를 위해 기도한 순례자들이 있었다. 그 천 년 전 수도사들이 거닐던 공간이 낯선 여행자에게 말을 걸어 왔다. 그곳은 절경을 넘어서 깊은 시간 속에 간직된, 숭고한 이들의 기억이 있었다.

수도원 안을 막 둘러보고 나오는데, 저편에 석양이 물들고 있었다. 수도원에서 기르는 개 한 마리가 나보다 먼저, 딱 자리를 잡고 움직이지도 않고 그 절경을 바라보고 있었다.
마치 그 숭고함을 자기도 이해하고 있는 것처럼.

11

비행기에서

일본 도쿄에 일이 있어 며칠 머문 적이 있었다. 강의 일정이 꽉 차서 마지막 날 오전에 간신히 시간이 났는데, 한가지 꼭 하고 싶은 일이 있었다. 후지산의 모습을 멀리서라도 보고 싶었다.

고대로부터 일본인들의 무한한 사랑을 받고 예술적 영감의 원천이 된 후지산에 처음 관심이 갔던 것은 풍속화가 가쓰시카 호쿠사이葛飾北斎의 목판화 연작 〈후지산 36경〉중 하나인 '가나가와 해변의 높은 파도 아래'를 보고 나서였다. 판화에는 모든 것을 집어 삼킬듯한 거대한 파도의 섬세한 묘사 뒤로 아주 작게, 단아한 후지산이 그려져 있었다. 나는 거센 파도의 물보라 뒤에 미동도 하지 않고 있는 그 산의 고상한 기품에 반했다. 작가에게 영감을 준 후지산의 실제 모습은 어떨까 궁금했다. 하지만 안타깝게도, 그날은 종일 흐리고 구름이 잔뜩 끼어 산자락만 살짝 보일 뿐, 끝내 보고 싶던 눈 덮인 그 후지산은 볼 수 없었다.

아- 깊은 아쉬움을 뒤로 하고 비행기에 올라야 했다.

그런데 이게 웬일인가! 비행기가 구름 위로 올라가니 후지산을 덮고 있던 그 빽빽한 구름이 저 아래 내려다보이고, 지상에선 전혀 보이지 않던 그 후지산의 눈 덮인 정상이 구름 위로 눈부시게 얼굴을 내밀고 있었다! 와우! 온종일 찾던 그 무언가를 엉뚱한 곳에서 발견한 어린아이처럼 들 뜨고 흥분하여 창에 딱 붙어서 그 광경을 봤다. 그러나 순간에, 뒷걸음치 듯 후지산이 점점 작게, 서서히 멀어져 갔다. 내가 진짜 보긴 봤나? 그 아이스크림 같은 만년설의 생생한 느낌이 녹기 전에 얼른 노트를 꺼내 글을 몇 자 적었다.

"후지산을 봤다. 땅 위에서가 아니라 하늘에서!
후지산을 못 보고 가나 했는데,
인생에 가끔, 이런 예상치 못한, 기대치 않던 선물이 있다.
후지산 만년설의 꼭대기를 들여다보다니!

도쿄의 구름 낀 날처럼, 눈앞에 보이리라 기대했던 것이 안 보여
우울하고 답답하고 조바심 나는 날들이 얼마나 많은가.
구름 바로 위를 상상할 수 없는 피조물의 시야가 참 좁고 가볍다.
보이지 않아도 실존하는 것들이 있다는 것을 기억해.
땅에서 보이지 않으면 하늘 위에서 보면 된다."

12

하늘 위_ 신의 시선이 있는 곳

비행기가 아니어도 하늘 위를 여행하는 방법은 꽤 있다. 헬리콥터를 타고 산꼭대기에서 뛰어내려 아무도 지나가지 않은 깨끗한 눈 위를 DNA 이중나선처럼 우아하게 교차하며 자신만의 궤적을 남기는 액티브한 스키 여행도 있고, 케이블카나 대관람차를 타고 천천히 도시의 낭만을 즐기는 여행도 있고, 도심의 타워나 고층 빌딩 위에서 파노라마 같은 경치를 보며 만찬을 하는 여행도 있다. 지상에선 감히 시야에 담을 수 없는 전망과 스케일을 담는 그 많은 하늘 여행 중, 그래도 가장 몽환적이고 신비한 여행은 '열기구'를 타는 일이 아닐까.

어릴 적, 쥘 베른Jules Verne의 소설 『80일간의 세계일주 Le Tour du Monde en 80 Jours』를 떠올리면 바구니 달린 큰 풍선에 탄 신사의 이미지가 세계 여행의 상징인 것 같았다. 영국 신사 필리어스 포그가 프랑스 출신의 하인 장 파스파르투를 데리고 80일 동안의 세계 일주에 도전한다는 소설의 원작에는 사실, 대륙횡단 기차, 증기선, 작은 범선, 소형 요트, 마차, 코끼리, 썰매 등 가용할 수 있는 모든 교통수단을 이용했음에도, 그들이 열기구를 탔다는 얘기는 없다. 영화에만 잠깐 마르세유로 가는 기차가 눈사태로 막혀, 대신 열기구를 타고 간 걸로 되어있다. 그런데 재밌는 건 나 말고 다른 이들 중에도 열기구을 타고 여행한 줄 알았다는 이들이 꽤 있다. 시중에 판매되는 책의 겉표지에 열기구가 그려져 있는 것도 있다. 이런 기억의 왜곡은 아마 풍선을 타고 마법같이 하늘을 나는 어린 시절의 상상이 현실화되었다는 게 너무도 강렬해서 그런지도 모르겠다.

몇 번이나 열기구를 탈 기회를 놓친 내게, 열기구에서 보이는 아름다운 풍광을 잠시 엿보게 해준 이는 항공 사진작가 얀 아르튀스 베르트랑Yann Arthus-Bertrand이었다. 그의 작품을 처음 봤던 것은 2000년 초가을, 뉴욕에서였다.

그는 야외의 공공장소에서 무료로 자기 작품을 전시한 최초의 사진작가로, 드론이 있기 한참 전인 1970년대 후반부터 케냐의 마사이 부족과 함께 생활하면서 열기구를 타고 하늘 높이 올라가 자연의 사진을 찍기 시작했다. 1994년부터는 유네스코의 후원을 받아 헬리콥터를 타고 전 세계를 다니며 지구의 초상을 찍었는데, 창공을 높이 나는 새의 시선을 보여주는 그의 작품, 『하늘에서 본 지구Earth from Above』는 유럽언론들로부터 '신의 시선'이라는 찬사를 받았다. 나도 꽤 두꺼운 그의 책을 사서 소장하고 있다.

내가 그를 좋아하는 이유는 단지 멋진 사진 그 이상의 의미가 있다. 그의 사진에는 미적 감각을 넘어, 깊은 사회적 의미가 은유되고 함축되어 있다. 그가 찍은 아름다운 지구의 색과 패턴은 예술가와 디자이너들에게 영감의 원천을 주기도 하지만, 동시에 우리에게 세계의 인구와 농업실태와 환경의 문제에 대해 질문을 던지기도 한다.

그는 하늘 위에서 포착한 지구를 단지 '풍경'으로 전달하지 않고 우리와 '관계 맺고 있는 땅'으로 전달한다. 인류가 잠시 빌려 쓰는 집House이 아니라, 66억 인류와 모든 동식물이 함께 사는 가정Home이라 말한다. 집은 어디서든 구하고 머물 수 있는 건물이지만, 가정은 내게 귀하고 의미 있는 사람들이 함께하는 특별한 '관계'의 공간이듯이, 오직 하나뿐인 소중한 지구에 대해 가져야 할 우리의 시선과 책임을 이야기한다.

나는 얀의 표현이 '공간'과 '장소'의 차이를 아주 잘 말해주는 비유란 생각이 든다. 공간이 물리적인 환경이라면, 장소는 이 공간에 사람의 정신, 관계, 기억과 경험들이 깊숙이 배어있는 곳, 마음의 풍경이 담긴 곳이다. 우리의 여행지는 내가 그곳을 방문하기 전엔 지도상에 표기된 지역명을 가진 물리적 공간에 지나지 않지만, 내가 그곳을 방문해 머물며 내 인생 어떤 시기에 특별한 의미와 가치를 부여하면…, 그곳은 어느덧 내게 특별한 '장소'가 된다.

얀을 보면서 나는 여행에도 경지가 있다고 생각했다. '우와' 경탄하며 느끼는 경이감에도 단계가 있다는 말이다. 높은 경지의 여행자들은 그저 '와우'에서 그치지 않고 언제나 그다음으로 나아간다. 자신의 미해결 과제에 대한 새로운 자각과 각성이 있기도 하고, 더 큰 세상에 대한 책임을 느끼기도 하며, 나의 '살아있음'의 의미를 재발견하기도 한다.

나는 이런 깊이 있는 여행자들의 글을 여행지로 가는 비행기 안에서 읽는 걸 좋아한다. 여행에 대한 자세와 마음이 준비되는 느낌이다. 그래서 긴 비행기 여행엔 그런 작가들의 책을 들고 타곤 하는데, 그중에 내 영혼의 멘토인 헨리 나우웬Henri Nouwen이 있다. 그의 진실한 글들을 읽으면 세상을 보는 눈이 새로워지고 세상이 다르게 해석된다. 특히 비행기가 낮은 고도로 날아 도시의 모습이 가까이 내려다보일 때마다 헨리가 해줬던 말이 문득 기억나 세상의 평화를 위해 기도하게 된다. 내가 상공을 지나는 저 아래의 땅 어딘가 구석구석에서 일어나고 있을, 서로를 고통스럽게 하는 슬픈 일들이 멈춰지기를 기도하게 된다.

비행기 안에서 강, 호수, 산으로 이어지는 드넓은 풍경을 내려다볼
때, 굽이치는 길들을 바라볼 때 사람들이 평화롭게 공존하는 것이
왜 그리도 힘든지 의아해진다. 우주선에서 우리 푸른 별을 바라보
는 우주 비행사들은 그 아름다움에 압도되어 그 별에 사는 사람들
이 자기 가정을 파괴하기 바쁘고 전쟁과 착취를 통해 서로를 죽이
느라 정신이 없다는 사실을 믿을 수 없을 것이다.

헨리 나우웬, 『영성에의 길』中

나의 '여행의 단계'는 어디쯤에 있을까.

감탄과 경이로움,

그다음 단계로 나아가는 여행자가 되고 싶다.

13

색다른 종種을 찾아서

아랍에미리트 아부다비Abu Dhabi에서 아라비아 사막과 낙타를 본 것보다 더 흥미롭고 신비로웠던 것은 '매'를 만난 일이었다. 매를 좀 더 가까이 보기 위해 매 병원Falcon hospital 방문을 결정한 것은 유달리 새를 좋아하는 헌 때문이었다. 어려서부터 어디든 비둘기만 쫓아다니던 아이에게 멋진 매를 가까이서 보여주고 싶었다.

언제였던가, 사우디아라비아의 한 왕자가 다른 국가의 사막에 가서 자기 매들의 사냥 훈련을 한다며 비행기 좌석마다 횟대를 걸고, 눈가리개를 한 80마리의 매들을 태운 모습을 기사에서 본 적이 있었다. 참으로 특이한 광경이라 여겼는데, 아부다비의 매 병원에 가니 머리에 슈막shumak을 쓰고 눈부신 흰옷 도브thobe를 입고 수염을 기른 아랍 남자들이 근사한 매를 하나씩 팔에 얹고 검진을 기다리고 있었다. 진짜 뉴스에서 본 것처럼 눈가리개를 한 매들이 대기석에 한 마리씩 순서를 기다리며 나란히 앉아 있었다. 정말로 흥미로운 광경이었다.

맹금류인 매는 수 세기 동안 사냥을 해야 했던 베두인들의 삶에서 중요한 역할을 하며 아랍에미리트의 역사와 연결되어 온 문화적 상징이다. 원래 매 병원에 투어가 있다고 하여 예약을 했는데, 안내 데스크 직원이 컴퓨터 오류인지 예약이 안 되어 투어를 못 한다고 했다.

남편이 어떻게든 투어를 진행해 보려고 실랑이하는 사이, 우리는 병원 대기실에 앉아 기다리고 있었다. 나는 23세 때 험난한 인도여행 이후, 검정 니캅을 머리부터 발끝까지 뒤집어쓴 여인들이나 흰 도브를 입은 남자들이 우르르 지나가면 나도 모르게 긴장을 하곤 했는데, 동네 동물병원에서 애완조에 관해 수다를 떠는 중동인들을 가까이 만나니 마음이 좀 편안해졌다. 내 시선에선 그들의 외모가 영화 속 배우처럼 이국적이고 부리부리한데, 그들에겐 오히려 헌의 동양인 눈매가 이국적이고 신기한가 보다. 고개를 돌려 쳐다보며 미소 짓는 할아버지, 어눌한 영어로 매에 대해 뭐라 말해주는 청년, 자기 매를 만저보라는 아저씨도 있었다. 아랍의 동네 주민과 새들의 일상이 있는 매 병원이라니…. 외국인을 상대로 한 매 쇼Falcon show나 매 박물관에서 보는 것과 비교되지 않는 정감 어린 장면이었다.

철창에 갇힌 독수리 말고 그리 큰 매를 생전 처음, 가까이 보니 정말 멋있었다. 눈은 가리개로 가렸지만, 두껍고 매끈하게 구부러진 부리와 흰색에 갈색 무늬가 있는 우아한 깃털, 횃대를 꽉 쥐고 있는 갈고리 형태의 뾰족한 발톱은 매서운 그 눈빛을 보지 않아도 그 강한 기세가 느껴졌다.

결국 투어는 포기했다. 할 수 없이 병원서 나와 몰에서 간단한 점심을 먹는데, 레스토랑에 놓인 지역 신문에서 '매와 사냥'에 관한 전시가 근처 무역센터에서 열린다는 광고를 우연히 보게 되었다. 전시장은 생각보다 가까웠고 입장료는 고작 3불밖에 하지 않았다. 뭔가 흥미로운 것들이 있을 것 같아 가보자 했다.

그 전시엔 아랍의 신비롭고 구슬프기도 한 전통음악의 선율이 흐르는 공간에 수천 년간 이어져 온 전통 살루키 사냥과 고대 스포츠인 매사냥에 관한 모든 게 소개되고 있었다. 무엇보다 수백 마리의 매를 경매하는 광경을 볼 수 있었는데, 우리는 한 마리에 천만 원이 훌쩍 넘는 매들을 여한 없이 보고 매 관련 용품도 선물로 받았다. 매 병원 투어는 1인당 150불이나 되었는데, 고작 3불에 아랍에미리트의 문화를 다 꿰뚫은 느낌이었다. 여행에서 느닷없이 계획한 일에 차질이 생겨도, 언제나 또 다른 선물이 있기 마련이다.

생명 있는 것들을 좋아하는 나에게 여행지에서 가장 먼저 이국적 정서를 느끼게 해주는 요소는 이렇게 '평소 볼 수 없는' 특이한 동식물이었다. 시드니의 레스토랑에 앉아 있으면 옆에 막 걸어 다니는 흰 따오기White Ibis를 처음 봤을 때, 서울에서 비둘기나 작은 참새만 보다가 그 크기와 외모에 확 놀랐다. 산타바바라 부둣가에서 키가 120cm쯤 되는 브라운 펠리컨Brown Pelican을 만났을 때는, 만화 속 캐릭터같이 생긴 것이 사람 크기만 해서 너무 웃기고 재밌었다.

캐나다 록키산의 브라운 베어, 핀란드 로바니에미에서 만나는 순록이나 인도 시골길을 지나가다 바로 옆에 있는 논에서 코로 물을 뿜어대고 있는 코끼리를 차창에서 발견한 것도 놀라운 일이었다.

*

야생에서 동물과의 우연한 조우는 여행지에 대한 특별한 연대의 마음을 남기기도 한다. 나는 2019년 늦가을, 호주 시드니를 방문할 일이 있었는데, 일정 중 만난 예쁜 부부의 배려로 동물원이 아닌 진짜 산에 사는 캥거루를 볼 수 있었다. 해가 지면 캥거루들이 산으로 올라간다고 해서 험한 산길을 바삐 운전하여 그들이 잘 놀러 나온다는 곳까지 찾아갔다. 사실 그들을 꼭 만나리라 기대하진 못했다. 해가 이미 뉘엿뉘엿 져가고 있었기 때문이다. 우리는 땅거미가 어둑해진 산기슭 옆 편평한 공간에 차를 세우고 내렸다. 기척도 없이 사방이 고요했다.

"아, 아쉽네요. 쫌만 일찍 왔음 볼 수 있었을 텐데…"
향이 말했다.
"그러게요. 캥거루가 놀러 다니는 곳이 이런 데군요."
나는 근처 풀밭을 걸으며 말을 이었다.

그런데 조금 있으니, 저 멀리서 캥거루 무리가 껑충껑충 뛰어나왔다. 한국에서 온 친구를 맞아주려 좀 더 기다려 줬다는 듯, 나란히 서서 내 쪽을 처다봤다. 너무 사랑스러운 가족이었다. 그들은 저녁 식사로 뭔가를 뜯어먹다가 조금 더 어두워지니, 마치 굿바이 인사를 하듯 한번 고개를 돌려 내 쪽을 돌아보고는, 곧 껑충껑충 뛰어 다시 산으로 돌아갔다. 아주 잠시지만, 기대치 못했음에 더 울림을 주는 만남이었다. 그들이 함께 무리 지어가는 뒷모습을 보니 그냥 흐뭇하게 미소가 지어졌다.

그런데 이게 웬일인가. 한국에 돌아온 지 얼마 안 되어, 호주의 대지를 휩쓰는 엄청난 산불이 일어났다. 헬기를 다 동원해도 끌 수 없이 무시무시하게 번져가며, 말라 있는 온 숲이 타들어 갔다. 외신과 SNS 등을 통해 산불을 피해 도망가다가 철조망에 걸려 타 죽은 캥거루와 화상 당해 붕대를 온몸에 감고 있는 코알라의 처참한 모습이 연일 보도 되었다. 어린 캥거루가 지옥 같은 불길을 피해 이리저리 내달리는 모습을 보니, 바로 한 달 전 만났던 캥거루 가족이 생각나….
마음이 더 아팠다.

누군가 파리 여행자였던 이가 노트르담 대성당이 화재로 타들어 가는 것을 TV로 보며 '프랑스의 할아버지를 잃은 것처럼 마음이 아프다'고 말한 적이 있었다. 그의 말의 표현을 들으며 저런 감정이입은 무엇일까 생각했었는데, 내가 그런 감정을 느꼈다. 잠시였지만, 나의 여행지였던 곳이 잿더미가 되는 게 남 일 같지 않게 이상하도록 마음이 시렸다. 그것은 그곳이 내 기억 속의 '장소place'가 되었기 때문이다. 죽어있는 건물도 여행자와 서로 연결된 듯한 교감이 일어나는데, 하물며 살아있는 동물들과 숲의 죽음은 더더욱 슬픈 일이 아닐 수 없었다.

해를 넘겨서도 멈추지 않는 산불은 호주의 하늘을 새빨갛게 물들였고, 나는 매일 뉴스를 챙겨보며 비가 내리기만을 간절히 기도했다. 그리고 1월 15일, 드디어 비가 처음 내린다는 소식을 들었을 때, 나는 내 고향의 일처럼 기뻐했다!
여행자의 세계는, 그리고 여행자와 장소의 관계는 그렇게 저도 모르게… 미물에게까지 확장되나 보다. 먼 이국으로의 여행 중 만났던 동물과 식물들은 이렇게 내 공간과 친구의 경계를 넓혔다.

여행지에서 조우한 생명들과의 특별한 추억들을 본다.

그 투명했던 동심은 어디에?

14

100가지 감성의 해변

카리브해를 보러 멕시코에 가려 했다.

반스앤노블 책방에서 라떼 한잔 놓고 들춰보던 여행 잡지 '콩데 나쓰 트레블러Condé Nast Traveler'가 세계에서 가장 아름다운 섬들이라고 소개하는 섬들은 죄다 카리브해를 끼고 있었다. 대서양과 멕시코만이 접한 바다, 카리브해의 에메랄드빛 바다와 따뜻한 햇볕이 너무 간절했다. 뉴욕은 너무도 추웠다.

그나마 뉴욕에서 가까운 칸쿤Cancun을 가기로 했다. 남편은 할 일이 있어 같이 못 가고 혼자서 딸을 데리고 나섰다. 우리가 살던 이타카란 작은 도시를 떠나 국내선으로 뉴욕 JFK 공항에 도착한 뒤, 거기서 다시 칸쿤으로 떠나는 국제선을 연결해서 카리브 바다에 가는 것이 그날 일정이었다. 그런데 JFK 공항에서 칸쿤으로 가는 국제선 체크인을 하는 중 갑자기 비행사 직원이 아이 아빠가 여행을 허락한 공증 서류를 내게 보여달라고 했다.

"네? 그게 뭔가요?"

미성년자 자녀를 데리고 부모 중 한쪽이 국경을 넘을 경우, 동반하지 않는 쪽 부모가 자신이 이 여행에 동의했고 동반 보호자를 누구로 지정했다는 내용과 서명이 공증된 증명서가 필요하다는 것이었다. 특히 멕시코는 유괴 사건들이 많아서 반드시 이 증명서를 받고 아이의 안전을 검토해야만 비행기를 태워줄 수 있다고 했다. 남편과 직접 너희가 통화를 하고 팩스로 증명서를 받으면 안 되겠냐, 간절히 사정해도, 단호히 "너희는 출국할 수 없다!"고 했다. 아니, 어찌 시간을 내고 돈을 들였는데 뉴욕까지 와서 다시 비행기를 타고 집으로 돌아가라니⋯ 기가 막혔다.

그 와중에 직원과 엄마와의 긴 실랑이에도 옆에서 천진난만하게 신이 나 팔짝거리고 있는 유진이 보였다. 엄마가 공부하느라 바빠서 같이 바닷가 한번 가주지 못한 아이, 바다 거북이와 해마를 만날거라 기대에 부푼 아이를 실망하게 하고 다시 집으로 돌아가자, 할 순 없었다. 어떻게든 뭔가 창조적인 방법을 찾아야 했다.
바로 그때, 옆에서 내 사정을 듣고 있던 항공사 직원 한 분이 눈을 반짝이며 자기에게 아이디어가 하나 있다고!, 멕시코가 아니어도 멋진 카리브해를 볼 수 있는 방법이 있다고 말했다.

"뭐지요?"

카리브해의 버진 아일랜드Virgin Islands의 섬들 중에 '세인트 토마스St. Thomas'라는 섬이 하나 있는데, 거기는 미국령이어서 그 서류 없이 미국 본토에서 움직이는 것처럼 갈 수 있다는 것이다.

"진짜요?"

그녀는 막 컴퓨터를 두드리더니 바로 2시간 뒤, 그리로 가는 비행기가 있고 너와 네 딸을 위한 좌석이 남아있다고 했다.

"당신, 정말 천재예요!"

나는 극찬의 극찬을 했고 그녀도 자신이 고객의 어려움을 해결해 낸 기쁨에 함박웃음을 지었다. 나는 바로 그 자리에서 칸쿤행 비행기표를 세인트 토마스행으로 바꾸었다!

세상 처음, 카리브해의 어느 섬이라는 것 말고는 정보가 '전혀' 없는 곳으로 가는 무작정 여행이었다.

내 MBTI에서는 있을 수 없는 일이었다. 칸쿤 여행을 위해 몇 주간 바쁜 와중에 틈틈이 지리 파악, 호텔 예약, 교통편과 레스토랑 정보 등 디테일하고 착실하게 계획표까지 짜두었던 게 바다의 물거품이 되었다. 인생에 이렇게 갑자기, 느닷없이, 준비했던 모든 게 허무히 사라지는 물거품의 순간들이 있다. 이런 일이 있을 줄도 모르고 얼마나 시간을 들여 열심히 준비했었는지… 그런 내 모습이 갑자기 떠올라 어이없고 허무한 마음이 들기도 했다.

4시간가량 걸려서 섬에 도착했다.

작은 비행기는 게이트도 아닌 활주로 한가운데 우리를 내려주었다.

비행기 문이 철컥 열리고 눈이 부신 햇살을 받으며 섬에 내리는데 볼에 닿는 그 온도와 습도, 바다 향기가 섞인 듯한 공기 냄새를 잊을 수가 없다. 알랭 드 보통이 세인트 토마스 옆에 있는 섬, 바베이도스에 갔을 때, "이곳의 공기는 집의 공기와는 다른 '달콤한 물질'로 만들어진 것 같다."라고 표현한 오감의 느낌을 나는 그날 이해했다.

유진은 에메랄드빛 투명한 바닷속에 선명히도 보이는 바다거북 세 마리를 아빠 거북이, 엄마 거북이, 유진이 거북이라고 이름 붙였다. 밀가루같이 부드러운 산호색 모래 해변에 살며시 왔다가 뒤로 밀려가는 투명하고 맑은 바닷물은 생수처럼 깨끗했다. 바닷물 온도도 너무 따뜻하게 적당해서 욕조에 목욕물을 받고 앉아 있는 것만 같았다. 유진과 나는 노을이 질 때까지 파도 끝자락에 둘이 앉아 손으로 파도를 다독이며 이런저런 얘기를 했다. 오늘 아침의 그 당황스러움과 호들갑의 해프닝이 있기는 했던 건지, 여기는 진짜 어딘지, 언제 그런 일이 있었나 싶게 지치고 고달팠던 마음이 파도에 다 밀려갔다. 오늘 아침엔 미처 상상치도 못한 곳, 오늘 우리는… 이 지구상에 있는 줄도 몰랐던 이름의 섬에 와 있었다.

바다는 팬톤 컬러 칩 블루편을 보는듯했다. 스파블루, 크리스탈블루, 스쿠버블루, 피콕블루, 리버블루, 시안블루, 코발트블루…. 세상의 모든 블루가 다 모여 있었다. 백사장에 서면 일곱 가지 명도의 바다색이 자로 그은 듯 펼쳐지는데, 파란색의 명도는 날마다 달랐다. 바다만 봐도 지겹지 않은, 내 생애 처음 '온전히 바다' 여행이었다.

버진 아일랜드는 약 90개의 작은 섬과 암초로 이루어져 있는데, 오가며 만난 사람들이 말해주길, 이 섬 말고도 세인트 존St. John, 세인트 마틴St. Martin, 세인트 크로이St. Croix, 그리고 영국령인 토르톨라Tortola, 버진 고르다Virgin Gorda도 다 너무 아름답다고, 꼭 가보라 했다. 딸에게 그랬다.

"우리 언젠가 다른 섬에도 꼭 가보자."

그로부터 약 1년 뒤, 진짜 멕시코 바다를 만날 기회가 생겼다. 리조트 디자인을 한 학기 공부하면서, 건축가 하비에르 소르도 마달레노Javier Sordo Madaleno의 디자인을 보러 가게 되었다. 캘리포니아 남쪽에 남북으로 길게 1,600km나 되는 바하 캘리포니아 반도의 끝, 로스카보스Los Cabos라는 멕시코 휴양지에 그의 호텔이 있었다. 푸른 바다 주변에 모래사막이 있어 특이한 풍광을 가진 이곳은 LA와 가까워 할리우드 스타들이 자주 찾는 곳이기도 했다. 거친 질감의 미니멀한 콘크리트 덩어리 위에 핑크, 노랑, 보라의 멕시코 전통색을 사용한 것이 마치 루이 바라간Luis Barragan의 건축처럼 현대적이면서도 민속적인 느낌을 주었다.

칸쿤에서 못 본 멕시코 바다를 드디어 본다니 가슴이 설레었다. 아- 그런데 그곳의 바다는 '완전히' 달랐다. 이 멕시코 바다는 따뜻한 카리브해가 아니었다. 코르테즈와 태평양, 두 바다가 만나는 곳이라 바닷물이 아주 차고 파도가 세서 무서울 정도였다. 바다는 연둣빛 가까운 에메랄드 색이 아니고 나이트타임 블루에 가까운 짙푸른 색이었다.

'수영 금지' 푯말들이 곳곳에 있어 호텔 바로 앞이 바다라도 입수할 수 없었다. 실망 대실망이다. 직원이 나를 위로했다. 바다가 찬 대신 멋진 건, 12월-3월 사이 추운 북극에서 여기로 새끼를 낳아 기르려고 고래들이 온다고, 운이 좋으면 바다 앞 인피니티 수영장에서도 고래를 볼 수 있다고 했다. 하지만 난, 그래도 좀 서운했다. 우리나라 동해와 서해가 그리 다른 것을 알면서도 멕시코 바다도 동서가 다를 거란 사실을 생각 못 하고 천진난만한 상상을 했다. 여기 파도는 진짜, 바다에 들어가려면 서핑을 배워야 할 기세였다. 세계의 바다들이 온도로, 색으로, 해변의 모래와 자갈의 감촉으로 다 다르다는 것을 선명하게 체감한 날이었다.

100가지의 얼굴을 가진 해변….

산호가 오랜 시간 퇴적되어 만들어진 보라카이의 화이트 비치는 모래가 정말 곱고 부드러워 맨발로 산책하거나 해변에 누워 시원한 모래에 발을 넣고 있기 딱 좋다. 니스의 검은 자갈 해변은 파도가 쏴아 밀려왔다 돌아 가면서 자갈들을 챠르르르 굴리는 소리가 너무 청명하고 기분 좋아 힐링 사운드로 쓰이기도 한다.

모래색에 따라 각기 다른 매력을 가진 해변들도 있다. 아이슬란드의 다이아몬드 비치는 빙하가 보석처럼 널려있는 검은색의 현무암 모래 해변이고, 하와이 마우이섬의 카이할룰루Kaihalulu 비치는 우아한 테라코타, 붉은색의 모래 해변이고, 바하마 하버 아일랜드의 핑크 샌즈 비치나 인도네시아의 코모도 비치는 연한 장미빛 해변이고, 앵귈라의 숄 베이 이스트 Shoal Bay East는 부서진 조개껍질의 광채가 반짝거리는 진주빛 해변이다.

핑크, 연두, 코랄 등 셀 수 없이 많은 색깔의 매끈한 조약돌을 투명한 바닷물 속에서 건질 수 있는 이태리 친퀘테레Cinque Terre의 해변이나 소라, 고둥, 가리비 등의 조개껍데기를 손상되지 않은 상태로 만날 수 있는 서호주의 쉘 비치, 미국 플로리다의 새니벨Sanibel island 같은 해변은 우리에게 진정한 수집의 기쁨을 주는 곳이다.

당신에게… 그런 바다가, 그런 해변이 말을 거는 순간이 있었는가?

미친 듯이 바쁘게 살다가 어느 바닷가로 잠시 여행을 떠났던 피비가 자기 얼굴도 아니고 해변에서 찍은 비슷비슷한 노을 사진만 계속 보내온 적이 있었다.

"너무 아름답지- 내가 못 봤던 날들에도 매일 이렇게 아름다웠겠어."라는 문구와 함께.

피비의 그 두 마디가 어디에선가 들어본 듯 했다. 언젠가 읽었던 책에 나오는 요리사 마이크의 긴 고백이 다 함축된 말이었다. 마이크도 낮엔 직장, 밤엔 야간 대학원을 다니고 남는 시간은 트레이닝을 하면서 프로 운동선수가 되려고 거의 모든 순간을 빈틈없이 빡빡하게 살아온 사람이었다. 그러던 중, 졸업 기념으로 잠시 떠난 코스타리카 여행에서 자신의 인생을 다시 발견하게 된 특별한 얘기를 이렇게 했다.

그곳에서 어느 날, 방금 나무에서 딴 싱싱한 망고를 먹으며 통나무에 앉아 파도가 밀려오는 모습을 바라보았죠. 기막히게 아름다운 해변이었습니다. 오후 내내 욕조 물처럼 따뜻한 바닷물 속에서 완벽한 파도를 타며 서핑을 했어요. 그리고 석양이 질 무렵, 하늘이 파란색에서 분홍색, 오렌지색, 붉은색으로 바뀌는 것을 지켜보았습니다. 그때 해지는 장면을 보면서 이런 생각이 들었습니다.

'지난 2년 반 동안 내가 1분 1초를 아껴 전력투구해 살아가던 그때도 태양은 똑같은 모습으로 지고 있었겠지. 몇 시간 비행기 타고, 비포장도로를 달려오면 천국이 바로 옆에 있는데, 나는 이런 곳이 존재한다는 사실조차 모르고 살았던 거구나. 천국은 2년 반 동안만이 아니라 수백만 년, 아니 그 이상 되는 오랜 세월 동안 여기 있었을 테고, 해는 그렇게 매일 아름답게 지고, 파도는 밀려오고 있었겠지.'

거기에 생각이 미치자, 내 존재가 아주 작게 느껴졌습니다. 내가 가지고 있던 모든 문제, 스트레스받았던 일들, 미래에 대한 근심 걱정, 그 모든 것이 하나도 중요하지 않은 것처럼 느껴졌어요. 인생을 사는 동안 내가 무엇을 하든, 내 결정이 옳든 그르든, 혹은 아무것도 하지 않을 때라도, 여전히 그 해변과 석양은 그대로일 거란 생각이 들었죠. 내가 죽고 난 이후에도 말이에요. 거기 앉아서 그토록 황홀하게 아름다운 자연을 바라보고 있노라니, 나 자신이 엄청나게 큰 존재의 극히 작은 일부분이라는 생각이 들었습니다.

존 스트레레키, 『세상 끝의 카페』中

가끔 어느 바닷가가 이렇게, 말을 거는 순간들이 있다.

당신도 내가 바다에 미쳐 있다는 것을 알지?
이 바다는 뭔가 완전히 다르오.

클라우드 모네가 부인 알리스에게 쓴 편지

15

죽음을 생각하게 하는 곳

스위스 시골의 한 공동묘지에 서 있다. 이렇게도 소박하고 이쁜 알프스의 꽃들로 둘러싸인 무덤에 누인 사람들은 꽃처럼 귀엽고 예쁜 할머니일 것만 같은 생각이 드는 아기자기한 묘지다. 묘지 입구에 세워진 그리스도의 목각상 뒤로 보이는 빽빽한 전나무 숲과 산등성이 위로 해가 쫙 번져가는 새벽녘이 참으로 장엄하다.

나는 오랫동안 죽음에 대해 생각했었다.

아빠가 떠나신 뒤, 길거리를 걷다가 저 멀리서 아빠와 비슷한 체구, 눈에 익은 옷차림의 어르신을 봤을 때 갑자기 밀려들었던 가슴 먹먹함… 이 세상 그 어디에도 없는 그분의 부재가 느껴졌던 슬픔의 시간보다 훨씬 전부터, 엄마, 아빠 두 분 다 암 선고를 받으셨던 그해에 서서히, 조용히 허물어져 가실 그분들의 죽음을 미리 상상하며 나도 모르게 목이 메어오던 시간보다 훨씬 전부터, 내게 죽는 모습을 보이고 싶지 않았던지 산책

길에 사라진 똑똑한 내 강아지 밤비가 꿈에 나타나, 터널 같은 곳에서 나를 한번 물끄러미 돌아보던 그 장면을 '죽음'의 의미로 받아들여야 했던 어린 시절의 그날보다 훨씬 전부터, 나는 죽음에 대해 생각했었다.

이렇게 죽음을 떠올리는 일은 슬프지만, 나쁘지만은 않은 일이라고도 생각해 왔다. '죽음의 선취를 통해 진실한 삶을 살 수 있다'고 주장했던 하이데거의 말처럼, 죽음은 우리의 복잡한 모든 생각을 리셋시키고, 삶에서 중요한 가치들의 순서를 올바로 잡아준다. 오래도록 연락 없이 살던 가족을 재결합하게도 하고, 두려워 망설이던 화해를 감행하게도 하고, 미루었던 꿈을 시작하게도 하고, 마지막이라 후회하지 않을 어떤 인생의 결정들을 과감히 내리게도 하는 것을 봤다.

나는 여행지에서 종종 묘지를 들러보곤 한다. 어쩌면 내가 들른 도시의 묘지가 아주 먼 산에 있지 않고 마을 교회 앞에 가깝게 있어 지나가다 자연스럽게 방문하게 되었던 것인지도 모르겠다.

파리 20구에 위치한 페르 라셰즈Cimetière du Père-Lachaise 묘지에는 들라크루아, 쇼팽, 오스카 와일드 등 시대를 풍미했던 많은 예술인이 묻혀 있다. 페르 라셰즈의 묘미는 어마어마하게 큰 묘지에서 내가 보고픈 이의 무덤을 찾아 헤매며 아름다운 산책을 한다는 데에 있다. 묘지를 디자인한 건축가 브롱냐르Brongniart는 그곳을 방문하는 사람들이 죽음에 고통받지 않는 '정원 같은 공간'을 구상했다고 한다. 그러나 정작 사랑하고 존경하는 이가 묻힌 공간이 아름다운 묘비와 조각으로 장식되었던들, 사계절 꽃과 나무로 뒤덮인들, 산책길에 숲 향기가 그득한들, 그 실존적 죽음에 고통받지 않을 사람이 어디에 있겠나. 죽음은 흔해 빠진 것, 보편적인 것, 죽음 앞에서 우리는 모두 필립 로스Philip Roth의 소설 제목, '에브리맨everyman'이다. 평범하기 짝이 없는, 육체적으로나 정신적으로나, 타인 앞에서나 운명 앞에서나 나약하기 짝이 없는 사람이다.

수많은 무덤 사이에 서서 이 흔해 빠진 죽음으로 달려가고 있는 나를 생각한다. 내 가족과 친지의 무덤 앞에서는 예의를 차리고 식구들과 같이 담소를 나누느라 미처 생각지 못했던 나의 죽음이 잠시 들른 남의 무덤 앞에서는 이토록 묵직하게 다가온다.

일생을 자유로운 보헤미안으로 살았으나 1.2평의 좁고 단촐한 무덤에 묻힌 모딜리아니Modigliani, 지금도 여전히 많은 꽃다발에 둘러싸여 있으나 이 땅에선 사라지고 없는 에디트 피아프Edith Piaf의 무덤, 그 서늘한 기운과 축축한 풀 내음 속에서 나는 나의 죽음을 생각한다. 누군가 그녀의 무덤 앞에 가져다 놓은 장미는 생생함과 바싹하게 마른 그 어느 사이의 시간에 놓인 듯 히마리 없이 누워있는데, 나는 나의 색이 바래기 전, 시들기 전까지의 남은 시간을 계수해 본다.

죽음을 가까이서 보았던 여러 번의 경험도 떠오른다. 각기 다른 죽음들이었지만 그때마다 똑같이 느꼈던 것 한 가지가 있었다. 이 땅에서의 삶이 끝날 때 사람들이 마지막으로 찾는 것은 소유한 물건이 아니라 '사람'이라는 것. 인생의 마지막 순간에 사람은 사랑으로 맺어왔던 관계들이

삶의 전부임을 깨닫는다.

이 땅을 떠나기 전, 마음속에 떠올려 마지막으로 인사하자 부를 사람이 있을까. 잠시 있다가 우리 꼭 다시 보자-고 눈 마주치며 말할 친구가 있을까. 마지막 가는 내 손을 꼭 잡고 차마 고개를 못 든 채 그 위에 눈물한 방울 뚝- 흘려줄 사람이 있을까. 나를 잃을 내 가족을 안아주고 같은 맘으로 울어 줄 이가 있을까. 내 영정사진을 보며 나와 지낸 시간을 많이도 그리워할 누군가가 있을까.

그렇게 내가 사랑하고 나를 사랑하는 사람들을 만들기 위해 오늘을 살아가고 있는 것인지도 모르겠다고… 그날 나의 죽음에 대한 묵상은 그렇게 뻔하게도… 결국은 '사랑으로' 귀결되었다.

묘지 말고도 내 여행의 장소 중에 죽음을 생각하게 했던 곳은 너무도 많았다. 쥐베흐니, 화가 모네의 집에서 주인은 가고 없는데 흐드러지게 꽃이 만발한 그의 정원을 거닐며 나는 덧없이 짧은 인생의 죽음을 생각했고, 바티칸 박물관, 미켈란젤로의 '최후의 심판' 앞에서 나는 죽음 이후의 세계에 대해 생각했다. 콜카타, 마더 테레사의 '죽음을 기다리는 사람들의 집'에서는 비천한 사람들의 고통스러운 죽음을 생각했고, 뉴욕, 그라운드 제로 같은 역사적 비극의 장소에서는 평화를 위해 희생한 거룩한 죽음, 인간의 악함에 희생된 무고하고 억울한 죽음에 대해 생각했다. 그런 장소에서 나는 착한 학생처럼 다시는 반복되지 말아야 할 죽음의 증인으로서 막중한 책임과 무게를 느끼기도 했다.

바로 며칠 전, 베니스의 푼따 델라 도가나Punta Della Dogana에서 마주한 마우리지오 캐틀란Maurizio Cattelan의 작품, 벽에 고개를 처박은 건장한 말의 뒷모습에서도 나는 죽음을 본다.

근육질의, 윤기마저 반지르르 흐르나 '죽은 몸'. 머리 없이 풍성한 엉덩이와 뒤에 늘어진 말꼬리를 보면서 영혼이 아닌 껍데기, 몸뗑이에 연연하며 바둥거리며 사는 나를 본다.

죽음을 생각하게 하는 장소는
그 어느 장소보다도 많은 말을 걸어 온다.

그리고 죽음을 생각하는 장소는 희한하게도….
더더욱 강렬히 '삶'을 생각하도록 이끈다.

가끔은, 여행지에서 죽음을 생각한다.

6월 12일. 묘지에 다녀온 아침, 카페 블렁Café Blanc에서 쓰는 일기.
제목은 〈죽은 나를 그리워할 이들〉

내 직계 가족 말고, 진심으로 죽은 나를 그리워할 만한 이들의 이름을 적어 본다. 지나온 시간 속에 만났던 한 사람, 한 사람의 얼굴을 떠올려 본다. 나랑 잘 통하고 떠올리기만 해도 기분이 좋아지는 주민과 금주… 그러나 아직 서로의 밑바닥을 본 적이 없으니, 왠지 확신이 가지 않는다. 마음 아픈 얼굴도 떠오른다. 예전 같으면 가장 먼저 그 이름을 썼을 텐데 지금은 내게서 사라져 버린 이름.

누군가가 나를 모함했던 날들에, 나는 내가 친구라 생각했던 이에게서 기대했던 말을 듣지 못해, 기대했던 행동을 보지 못해 신뢰를 주고받으며 살아온 시간이 다 허망하게 느껴졌던 때가 있었다. 평탄했던 시간에는 내게 그러지 않았던 이가 정작 위로와 힘이 필요한 시간에 싸한 그림자가 될 수도 있더라.

그때 알게 된 것은 늘 우리 곁엔 세 종류의 사람이 있다는 것이다.
그 험담이 뭔지 알 필요도 없다고, 대체 뭔 모함이냐고 '무조건' 내 편이 되어주는 사람,
그런 말이 나온 이유가 네게도 좀 있지 않겠냐고, 잘 생각해 보라고, 양쪽이 다 이유가 있지… 라고, 공정하고 이성적인 듯 말하는 사람,
깊은 이해가 어려운지 내 심각한 감정에 무심하고 맨숭맨숭한 사람.

진짜 친구를 알고 싶으면 네가 모든 걸 잃었을 때 그 친구가 어떤 사람이 되는가 보라고, 모든 걸 잃었을 때, 그때 비로소 평소 유지하던 우정과 부부관계가 어떤 믿음 위에 얹혀 있었는지 시험해 볼 수 있다고 쓰여 있던 어느 책의 말이 온전히 이해되는 순간이었다.

가까운 관계일수록 상처는 모질고 깊다. 오직 내가 마음을 주는 사람들만이 나에게 상처를 입힐 수 있다. 그들에게 나의 많은 부분을 내어주었기 때문이다.

무조건 내 편이 되어주는 친구들 몇몇의 이름을 적어 본다.

승원, 영은, 수희, 이선, 춘도, 선, 성연 …

아. 근데 다시 생각해 보니… 틀. 렸. 다.

이 이름들은 죽은 나를 그리워할 사람이 아니라,

반대로 (그들이 죽었을 때) 내가 그리워할 사람들이다.

'죽은 나를 그리워할 이들'은

그들의 가장 어렵고 외로운 순간에

내가 그 곁에 있어 주었던 사람,

내가 그 편을 들어주었던 사람,

내가 그 구구절절한 사연을 들어주었던 사람,

내가 작은 위로의 말을 건네주었던 사람,

내가 같이 울어주었던 사람,

내가 말없이 안아주었던 사람이다.

정말 어떤 순간에서도 내 편이 되어줄 친구가
여행지에서 갑자기 그리워질 때가 있다.

_4

나만의 장소를 만나기 위해

16

다른 계절의 산토리니

산토리니Santorini의 겨울은 비가 많다.

햇살이 '없는' 산토리니를 떠올려 본 적이 있는가. 에게해를 바라보는 절벽 꼭대기에 지어진 눈부신 흰색 건물들과 둥근 파란색 돔 지붕이 쪽빛 바다와 어울려 반짝이는 그 산토리니가 아니라, 이 모든 풍경 위에 칙칙한 필터가 하나 끼워진 잿빛 산토리니다. 산토리니의 겨울엔 관광객이 거의 없어 많은 호텔들이 문을 닫고 여름 성수기 준비를 위한 공사를 한다. 그래서 공사를 돕는 당나귀들은 좀 볼 수 있지만, 온 섬은 적막하기 그지 없다. 그래도 난 하루 1만 명, 바다를 배경으로 사진을 찍으려는 관광객들이 빽빽이 줄지어 서서 지나갈 수도 없는 마을의 언덕길 대신, 오롯이 '이 섬사람처럼' 길을 걷고 언덕을 오르고 바다를 여유롭게 바라볼 수 있는… 산토리니 겨울의 한적함이 좋았다.

이아Oia 마을 특유의 흰색 스터코로 건축된 넓은 빌라를 하나 빌렸다. 겨울에는 바다가 쫙 보이는 아주 좋은 고급 빌라들도 거의 반값에 대여할 수 있다. 빌라의 창을 여니 비가 내려 올라오는 흙냄새와 바다향이 살짝씩 섞여서 난다. 고맙게도 주인이 미리 커피 캡슐과 아침 식사용 빵, 달걀, 햄, 우유, 과일 등을 충분히 가져다 놔 주었다. 먹고 마시는 게 갖춰져 있으니, 그냥 일주일 동안은 아무것도 안 하고 바다가 보이는 거실에서 책만 읽고 늘어져 있어도 좋겠다.

다음 날 아침, 산토리니에서의 첫 아침 식사를 차려보려고 토스트를 구웠다. 버터 향이 고소하다. 그런데 어디선가 아주 작게 "야옹- 야옹" 하는 소리가 났다. 어딘가하고 보니, 바다가 보이는 식탁 쪽 서리 낀 창문에 고양이 한 마리가 바짝 붙어서 안을 들여다보고 있었다. 배가 고픈지 계속 식탁 쪽을 쳐다보며 낑낑거렸다. 얘가 어디서 온 거지? 고양이는 가지 않고 하염없이 서글픈 눈빛으로 나의 움직임을 따라 고개를 돌리고 열어달라는 듯 창문을 간혹 톡톡 긁기도 했다.

"배고프니?"
나는 토스터에서 노릇한 빵을 빼어 접시에 올려두고 그릇 하나를 꺼냈다. 날도 찬데 찬 우유를 그냥 주긴 그래서, 전자레인지에 우유를 따뜻하게 데워 들고 나갔다. 우리 집 고양이와 똑같은 고등어 무늬를 가진 고양이였다. 가족을 만난 듯 반가웠다. 낯선 도시에서 아는 것들을 만난다는 건, 길가에 핀 민들레, 숙소의 이케아 의자, 식료품점의 감자칩 하나를 봐도 생각보다 반갑다. 낯선 곳을 찾아 일부러 떠나 왔는데도 또 살던 곳의 낯익은 것들을 반가워하는 나를 본다.

녀석이 흰 우유를 쪼그마한 얼굴에 다 튀겨가며 열심히도 먹는다.

"너 진짜 배고팠구나…."

따뜻하게 먹어서 오히려 내 맘이 따뜻하고 뿌듯했다.

나는 다시 집에 들어와 차려둔 아침을 먹으려 식탁에 앉았다. 5분쯤 지났을까. 삶은 달걀 반쪽을 입에 넣고 있었는데, "야옹-야옹-야옹" 갑자기 밖에서 난리가 났다. 내다보니, 아까 그 친구한테, 저 집에 가면 누가 우유를 준다고 들었는지 어찌 알고 온 동네 고양이란 고양이가 다 우리 집 문 앞에 왔다. 정말 이게 웬일이니.

반가운 고등어 태비들을 만나 음식을 많이도 뺏기고 오후에 동네 사람에게 들어보니, 밥을 주던 레스토랑이나 호텔 주인들이 대부분 섬을 떠나 있는 겨울엔 길고양이들이 모두 배고픈 시간이라 했다. 그래서…, 얼마 있는 동안, 동네 고양이들을 얼떨결에 돌보게 됐다. 어느 날 밤에는 너무 많이 몰려와 문을 박박 긁어서 좀 무섭기도 했고, 창문이라도 열면 집 안으로 들어오려 해서 그 좋은 경치를 두고 창문도 활짝 열지 못했다. 차마 모른 척할 수 없어 여행지에서도 이렇다. 그래도 늘 찾아오는 동네 친구들 덕에 동네가 좀 내 집 같이 느껴졌던 시간이었다.

춥고 바람이 불어 레드 비치에서의 수영은 꿈도 꿀 수 없었지만, 수블라키Souvlaki를 먹으면서, 섬을 주황색과 보라색으로 물들이는 일몰을 감상하는 일은 겨울에도 할 수 있었다. 날이 계속 흐리거나 비가 오면 빌라 안에서 따뜻한 커피 한잔을 들고 바다를 보며 시간을 보냈다. 그리고 비

가 그치면 상상할 수 없이 큰 무지개를 보기도 했다.

잠깐 따스한 햇볕이 비치는 오후, 에게해가 사방으로 펼쳐져 있는 흰색 집에서 낮은 나무 쪽문을 열고 나와 사부작사부작 동네 책방 아틀란티스Atlantis로 산책을 나서면, 고양이뿐 아니라 동네 개들도 다 같이 따라나서는 산토리니의 골목길! 그것이 한겨울, 산토리니 동네에 대한 나의 정겨운 기억이다.

누구는 칙칙한 겨울에 왜 거기에 가느냐고 하지만,
관광객이 많지 않은 비성수기,
남들이 가지 않는 다른 계절에, 여행을 가보라.
장소의 또 다른 면을 구경한다.
세수 안 한 것 같은 민낯의 동네를 만나고,
관광객들이 아닌 동네 사람들과 눈 마주쳐 인사도 할 수 있다.
거기 그곳에 사는 사람처럼 지내볼 수도 있다.
아무에게도 방해받지 않고 눈앞에 펼쳐진 드넓은 바다와 하늘 앞에서
'내가 왜 여기에' 있는지 물을 수도 있다.

나는 시간이 많지 않아 비행기를 탔지만, 당신에게 그리스 섬을 온전히 느낄 시간이 충분히 있다면 배를 타는 것도 좋은 생각이다. 아테네에서 완행 페리로 7시간 가면 파로스, 닉소스, 이오스 섬을 거쳐…마지막으로, 산토리니에 도착한다.

17

특별한 길을 만나려면

내가 지금까지 가본 길 중 가장 아름다웠던 길은
우습게도 도로명도 없고, 어딨는지 몰라
다신 못 찾아갈 길이다.

오래전 자동차를 타고 오스트리아를 여행한 적이 있었는데,
오스트리아 작은 마을의 숙소를 찾아가야 했다.
주소를 찍으니 네비가 이리 물어왔다.
"통행료 내는 길로 갈래? 통행료 내지 않는 길로 갈래?"

별로 바쁘지 않은 일정이라
통행료를 내지 않는 길을 선택했다.
통행료를 내지 않는 길은 지방 도로다.

그런데 알프스산맥이 오스트리아까지 이어져서
이 길의 운전 루트 중 산을 통과해야 하는 구간이 있었다.
산을 넘는 그 좁은 길에 들어선 순간 '아차 실수했다!' 싶었다.
길이 너무 좁아, 여차하면 오른쪽 낭떠러지로 굴러버릴 것 같았다.
대체 얼마나 가야 마을이 나오는 거야…?!!!
좁은 1차선에서 도저히 차를 돌릴 수 없어, 그저 계속 가야만 했다.
그런데 산이 점점 깊어지니…
갑자기 날씨가 흐려지면서… 세상에, 눈이 온다.
그것도 점점 더 큼직큼직한 목화솜 같은 함박눈이 내린다.
아주 펑펑.

눈이 금세 쌓이기 시작한다. 순간, 약간 겁이 났다.
내리막길에 미끄러지기라도 하면?
생각만 해도 발끝에 긴장이, 핸들을 쥔 손에 식은땀이 났다.
속도를 완전히 줄였다. 기어가듯 조심조심.
순식간에 산속은 흰 눈으로 덮이고 사방은 쥐 죽은 듯 고요해졌다.

그윽한 고요함.
그 느낌을 어떤 단어로 표현할 수 있을까.
차가운 눈이 포근하게 느껴지는,
어울리지 않는 두 단어가 같이 떠오르는, 그런. 느낌.
모든 것위에 눈이 소복이 내려앉아 흰 세상이 되어 갔다.

순식간에 탐스러운 눈꽃이 확- 폈다.
나밖에 없다.

오오, 눈부신 고립!
사방이 온통 흰 것뿐인 동화의 나라에 발이 아니라 운명이 묶였으면
했던 시인의 말이 떠올랐다.

저기 저 아래, 온통 흰 것뿐인 골짜기에
노란 불빛이 하나, 둘씩 반딧불처럼 나타나기 시작한다.
마을이 있었다!
운전대를 절대로 놓을 수가 없어 사진도 찍을 수 없었지만,
사진을 찍었다해도 그 사진은 내 눈에 찍힌 그림만 못했을 것이다.

나는 기어, 기어 그 산길을 내려와 드디어 숙소에 도착했다.
따뜻한 인상의 주인이 이 눈 속에 어찌 오나 걱정했다고 말했다.
나는 "할만했다 It was worth it!"고 말했다.
그냥 예의상 할만했다고 한 게 아니었다.
나는 『설국雪国』의 첫 문장을 내 눈으로 봤다.

국경의 긴 터널을 빠져나오자, 눈의 고장이었다.
밤의 밑바닥이 하얘졌다

가와바타 야스나리, 『설국』中

자동차로 여행하게 될 때, 시간이 급하지 않다면
통행료를 내지 않는 길, 도로 숫자가 크게 적혀있지 않은 길,
직선으로 곧게 나지 않은 구불구불한 길,
지도상에 더 가늘고 좁게 그려진 길을 선택해 보라.
그러면 남들이 잘 가지 않는 길로 가게 될 것이다.

때론 가드레일도 없는 위험한 낭떠러지를 지나며,
상상도 못 할 절경을 눈에 담기도 할 것이다.
끝에서 유턴도 할 수 없을 것 같이 좁은 길로 들어섰다가,
어느 여행 잡지에도 등장하지 않는
작은 동네 사람들의 소소한 친절을 경험하기도 할 것이다.
밀밭을 가로질러 가다 끝도 없는 밀밭의 정 한가운데서,
오도 가도 못하게 갇혔나 덜컥 겁이 나는 일도 있을 것이다.
그러나 그날도 역시…
바람에 굽이쳐 흐르는 끝없는 밀밭,
솨솨--솨솨
그 밀밭 사이를 스쳐 가는 바람의 노래를 듣게 될 것이다.

인생에서도
쉽고 빨리 가는 하이웨이 말고,
이렇게 느리게, 어렵게 가는 길이, 좁은 길이
아무도 보지 못하는 가장 아름다운 인생의 단면을 보게 하지 않는가.

18
거닐기

이른 아침, 눈을 떴다. 깜깜한 밤에 도착해서 집 주변이 어떤지도 모르는 채 잠이 들었었다. 침대에 누워서 보이는 창으로 낡은 테라코타 색 지붕 끝자락들이 보인다. 일어나 창문을 열고서야, 비로소 이 집이 운하 위에 있다는걸, 내가 벨기에 브뤼헤Brugge에 와있다는 걸 실감한다. 낯선 마을에서 홀로 눈을 뜨는 것이 가장 즐거운 감정 중 하나라고 말했던 탐험가 프레야 스타크Freya Stark의 맘을 느낀다.

바로 운하 건너편 집 여자가 엷은 핑크색 잠옷 가운을 걸친 채 뭔가를 열심히 창밖으로 떨어뜨리고 있다. 유심히 보니, 그 아래 오리들이 몰려있다. 그녀는 작고 낡은 방에 살면서 아름다운 운하 위 수십 마리의 오리를 키우고 있었다. 생명에 대한 따뜻한 애정을 가진 사람을 보니 낯선 동네가 좀 친밀해진 듯했다. 평온하고도 흐뭇한 아침이다.

대강 편한 츄리닝을 걸치고 문밖을 나섰다. 안개 낀 낯선 동네의 거리를 걷기 시작했다. 소박한 자신만의 정원에 살뜰히 물을 주고 있는 이웃 할머니와 눈을 마주쳐 나도 모르게 살짝 미소를 지었다.

여행의 아침 산책 중 제일 즐거운 일은 일찍 불이 켜진 빵집을 지나며 솔솔 풍기는 고소한 빵 냄새를 맡는 일이다. 길 끝 모퉁이에 있는 작은 빵집을 지나는데, 주인이 갓 만들어 모락모락 김이 나는 빵들을 한 종류씩 오븐에서 꺼내어 팬트리에 식히고 있다. 나는 코너를 돌아 저만치 가다가 결국 다시 돌아와, 길고 따뜻한 바게트를 하나 샀다. 아. 마침 에스프레소를 한잔 살 동전도 있었다. 낯선 이국의 동전을 하나씩 세어 주인에게 건네고 "오흐부아Au revoir!" 또 보자는 인사말도 건넸다. 그를 언제 또다시 볼 날이 있을까만은, 여기에 내일도 들를 사람처럼, 밝게 인사를 해 본다. 어느 나라에 가든 새로운 언어를 한마디씩 써보는 일은 이상하게도 뿌듯하다.

종이봉투 위로 삐져나온 긴 바게트를 왼손으로 끌어안고 오른손에는 에스프레소 작은 컵을 들고 골목길을 사분사분 걷는데, 살짝씩 부는 미풍에 갓 구운 빵 내음과 에스프레소의 향이 번갈아 가며 느껴진다.
혀끝에 닿지 않아도 바게트와 한잔 커피의 어울림이 고소하고 그윽할 수도 있구나. 여행은 이렇게 작고 미세한 감각의 즐거움으로 가득 차 있다. 오래되고 멋스러운 골목길, 약간 울퉁불퉁한 돌 타일이 운동화 바닥으로 느껴진다.

TRADITION
AUX GRAINES
1,50€

THE FRENCH

PAIN DE CAMPAGNE
AUX GRAINES
11,90€/KG

PAIN AUX
NOIX
15,80€/KG

PAIN AU
SARRASIN
10,80€/KG

TOURTE
DE SEIGLE
10,60€/KG

'거닐다'라는 말은 천천히 가까운 거리를 이리저리 한가히 걷는다는 말이다. 여행의 장소를 향유하는 가장 기본적인 걷기의 태도, 자세에 있어서는 '천천히'라는 속도와 '이리저리'라는 자연스러움과 '한가히'라는 마음의 여유가 중요하다.

거닌다는 것은 골목의, 광장의, 숲속의 모든 것을 오감으로 경험하기 위한 준비이며, 그곳의 풍경으로 들어가 천천히 풍경을 소유하는 것처럼 느끼는 순간을 위한 것이다.

파리의 튈르히Tuileries 정원을 거닐다가 앞서 걸어가는 청둥오리 한 마리를 만난 적 있다. 정원 연못에서 만난 게 아니라, 블루벨, 데이지, 수크렁, 꼬리풀, 라벤더 향이 은은한 잔디밭에서 산책하고 있는 그를 만났다. 뒤뚱뒤뚱, 짧은 다리로 실룩거리면서 풀밭을 거니는 그 뒤를 아주 천천히 따라가며 걸었다. 장소의 멋을 제대로 향유할 줄 아는 오리다. 프랑스어로 이렇게 한가롭게 거닐기 좋아하는 산책자를 우리는 플라네르flaneur라고 부른다.

호기심 많은 여행자, 도시를 끊임없이 어슬렁거리는 방랑자, 숲이나 정원을 거니는 산책자를 의미하는 '플라네르'라는 단어는 19세기에 프랑스 시인 샤를 보들레르의 책에서 쓰인 말이다. 플라네르의 눈으로 도시나 마을의 구석구석을 천천히 거닐다 보면, 그 장소는 산책자가 느끼지 못했고 생각하지 못했던 숨어있는 보물들을 하나씩 하나씩 꺼내어 보여주기 시작한다.

관광객들은 보통 유명한 장소를 점에서 점으로 연결하는 가장 빠른 루트의 이동을 즐기지만, 할 수만 있다면
그 장소의 주변부 골목들을 헤매면서 면에서 면으로 이동한다는 개념을 가지고 거닐어 보는 것이 장소를 만날 수 있는 가장 좋은 방법이라고 도시 건축학에서는 말한다.

점에서 점으로 이동하며 여행하는 사람들은 로마의 판테온Pantheon 안에 들어가 인증샷은 남기지만, 시간의 흔적이 배어있는 그 주변을 천천히 거닐며 여기저기 기웃거릴 시간이 없을 것이다. 골목길을 덮고 있는 조약돌, 샘피에트리니sampietrini를 발바닥에 느끼고, 색바랜 건물의 시간을 느껴볼 시간이 없을 것이다. 골목 안 작은 가게들에 전시된 내 취향의 물건을 찾아보는 기쁨도, 지올리티Giolitti의 리쪼rizo와 레몬맛 젤라또를 맛보는 미각의 달콤함도 누리지 못할 것이다. 골목 안 카페에서 와자지껄 들리는 이국의 말소리와 곡예에 가까운 바리스타와 웨이터들의 서빙, 쉴새 없이 열리고 닫히는 문과 드나드는 사람들의 표정과 손짓이 만들어내는 '이탈리아 카페만의' 분위기도 구경할 수 없을 것이다. 그리고 판테온 앞 작은 광장에서 트리뷰트tribute을 연주하는 첼로의 깊고 우아한 소리에 한참- 넋을 잃고 내가 모르는 사람들과 하나 되어 서 있을 시간도 없을 것이다.

골목길로 들어가 미지의 무언가를 탐색할 자유를 만끽하자.

우리가 마주칠 그 무언가가 분명 우리의 인생을 바꾸게 될 것이다.

파울로 코엘료, 『흐르는 강물처럼』 中

꼭 봐야 할 장소의 '주변을 어슬렁거릴' 시간적 여유를 가지라.
내 여행 정보엔 들어와 있지 않았던 작은 보물을 발견하고,
현장에서만 경험되는 예기치 않은 것들에
감탄하는 시간을 가지라.

새벽에는 낯선 도시의 새날을 여는 신선한 공기가,
한낮에는 이국적인 거리와 사람들의 활기가,
불빛이 하나, 둘 들어오는 밤엔 나름의 로맨틱한 분위기가 있으니
어느 시간에 거닐어도 다 좋을 것이다.

산책하는 일이란 너무 평범하고 사소해서,
별로 중요하지 않은 일인 것 같지만,
그 도시만의 색채와 소리와 향기와 볼에 닿는 습도마저도,
모든 것을 오감으로 향유할 수 있는 가장 멋진 여행 방법이다.

거닐기만큼 쉬운 일이 있을까.
그저 운동화 끈을 매고 좋은 음악을 귀에 꽂은 채
신선한 공기와 계절의 흐름 속으로 나아가기만 하면 된다.

ACHAT LIVRES

LIVRES ANCIENS ET
MODERNES

0623435426

Nous nous déplaçons
pour acheter ou
estimer vos livres

낯선 여행지에서 거기가 마치 내 집 앞인 것처럼,
산책해 보라.
천천히, 한가로이, 풍경을 소유하면서,
그 작은 골목과 정원과 언덕들을.

걷기 시작하면 내가 곧, 둘이 되고
몸과 영혼이 대화하기 시작하는
그 순간을 느껴보라.

19

그 이름 때문에 스위스 산골짝에

누군가의 이름 때문에 떠난 여행은 처음이었다.

스위스의 산길을 돌고 돌아 졸졸졸 물소리와 새소리, 이따금 교회 종소리만 뎅그렁 들리는 아주 작고 평화로운 마을 발즈Vals에 도착했다. 아무도 모르는 이 깊은 산골 마을의 이름을 저 멀리 아시아에 살고 있는 내게도 알려준 이는 피터 줌터Peter Zumthor! 건축계의 노벨상이라 불리는 프리츠커상을 수상했음에도, '요정과 일하는 자'라고 불릴 정도로 미디어 노출을 꺼리는 건축가다. 발즈에 가기 몇 해 전, 나는 어느 두꺼운 건축책에서 목욕탕 하나를 봤다. 어두운 회색 돌벽과 목욕탕 물 위에 푸른 빛만 있고 아무것도 없어 뵈는 스파가 대체 뭐길래 이렇게 여러 장을 차지하고 있나, '7132 떼르메Therme'를 사람들이 왜 그리 극찬하는가, 너무도 궁금해서 시작된 '호기심好奇心'이 나를 이 계곡까지 안내하였다. 윤신도 함께였다.

치료에 도움을 주는 미네랄 워터가 나오는 발즈는 17세기부터 온천마을로 알려졌었다. 이를 이용한 온천 리조트를 개발했었는데 업자가 파산하며 버려진 장소가 되었고 그것이 이 마을의 큰 숙제였다. 마을 대표들은 마을을 좀 살려보고자 옆 동네 쿠어chur의 건축가, 피터 줌터에게 스파 디자인을 의뢰하게 되었고, 그의 디자인으로 동화 같은 성공 스토리가 만들어졌다. 지금은 이 스파 하나를 보려고 마치 순례자들처럼, 세계 각국에서 사람들이 온다. 줌터는 발즈 지역에 널려있는 6만 개의 규암 석판과 산과 물을 이용해 건물이 완벽히 이곳의 풍광에 녹아있도록, 이곳의 자연에 원래 박혀있던 것 같도록 공간을 디자인했다. 랜드마크적인 건물들은 도시 어디서든 눈에 딱 띄는데, 이곳은 건물 천장에 잔디까지 덮여있어 산 위에서 보면 건물을 찾기도 힘들다. 정말 기가 막히게 발즈의 경치 안에 하나 되어있다.

발즈의 우편번호에서 따온 '7132 테르메'는 공간의 고요한 분위기를 위해 이용자 수를 제한하고 미리 시간별로 예약을 받았다. 흔히 생각하는 와글와글한 목욕탕이 아니라, 몸을 물에 담그는 것이 하나의 신성한 종교의식과도 같이 느껴지는 곳이었다. 동굴이나 채석장처럼, 사방이 돌로 둘러싸여 만들어 내는 소리의 울림과 천정 틈에서 미세하게 들어오는 신비한 빛 속에서 물의 공간으로 한계단 한계단 내려가며 서서히 몸이 물에 잠기는 경험은 기독교에서 말하는 침례baptism의 의식과도 같이 느껴졌다. 나는 몸이 물속 바닥까지 깊이 잠길 때 내 육체의 실존적 죽음을 떠올렸고, 몸이 다시 물 밖으로 나올 때 새로운 인간으로 다시 태어나는 상상을 했다.

완전히 물속에 들어갔을 때, 눈을 한번 떠 봤다. 물속 조명으로 내 살갗 솜털에 알알이 맺혀있는 기포들이 선명히 보이고 몸이 조여오는 느낌이 들었다. 소리가 차단되어 귀가 먹먹해진 상태에서 두 다리를 감싸 안고 둥둥 떠 있으니, 마치 엄마의 뱃속에 들어온 것 같았다. 자궁 속이 이런 느낌일까. 그곳은 더 원초적인 것을 생각하게 했다. 그의 공간은 직접 가보지 않고서 사진과 글만으로는 절대 설명할 수도, 이해할 수도 없는 그런, 그곳만의 '분위기'가 있었다.

테라스나 야외 스파에 나가면 새소리, 미세한 바람 소리, 그리고 아주 가끔씩 빌즈 교회의 깊고 맑은 종소리가 들렸다. 살랑한 바람에 들꽃 향기가 실려 오기도 했다. 아--평화롭고 고요한 마음을 창조해 내는 디자인도 가능하구나!

마주하는 이 한순간의 분위기를 위해 줌터가 몇백만 번을 고민했을지가 느껴졌다. 그의 공간을 '직접 만나봐' 알고 싶은 나의 호기심은 그해 여름, 발즈에서 또다시, 줌터의 쿤스트 하우스가 있는 오스트리아, 브레겐즈Bregenz로 나를 안내했다.

지적 호기심을 추구하는 여행이라면 흔히 박물관이나 미술관을 떠올리지만, '나만의 호기심'을 따라 그것을 만족시켜 줄 여행의 장소를 직접 선택해 보라. 그 무엇이 궁금하고 알고 싶어 다가가는 나의 진지한 걸음 속엔, 아주 오래전 지구 저편의 세계에 닿고 싶었던 탐험가들의 상상력과 용기도 담겨 있고, 신기한 곳에 그냥 놀러 가보고 싶은 순수한 어린아이의 마음도 있다. 이 주체할 수 없는 호기심들!

알고 싶다, 가보고 싶다, 먹어보고 싶다, 들어보고 싶다, 만나보고 싶다, 해보고 싶다, 그 끝없는 궁금함의 여정은 종국에, 우리를 아예 새로운 장소에서 이전과 다른 삶을 추구하며 살게도 한다.

나의 미니멀 라이프에 제일 처음 영향을 주었던 프랑스 작가, 도미니크 로로Dominique Loreau가 미니멀리스트의 길을 걷게 된 것도 이런 호기심에 이끌린, 이국으로의 여행이었다. 도미니크는 20대부터 프랑스 밖 세상이 너무 궁금해 끊임없이 외국을 여행하고 타국에 교사로 지원해 살기도 했다. 그러다 샌프란시스코에 있던 어느 날, 그녀는 운명적으로 골든게이트 내의 일본식 정원을 만나게 된다.

그리고 그 아름다움의 근원을 알고 싶은 주체할 수 없는 호기심에 이끌려 일본이라는 나라로 여행을 떠나게 된다. 그녀는 일본의 옛 방식이 좋아 70년대 말부터 지금까지도 교토에 살고 있는데, 동양의 미학과 철학을 서구적 삶의 방식에 접목해서 단순하면서도 충만한 삶을 어떻게 살 것인지에 대해 꾸준히 글을 써오고 있다.

나는 그녀의 책 〈심플하게 산다〉를 머릿속이 복잡해질 때마다 한 챕터씩 읽곤 하는데, 그녀의 지적 호기심의 여정은 일본으로의 여행에서 그친 것이 아니라, 나 같이 단순한 삶의 방식이 궁금한 사람들도 그녀와 함께 여행을 떠나게 한다. 간소하면서도 깊고 충만한 삶의 방식을 들여다보는 우아한 여행 말이다.

나는 세상에 어떤 호기심을 가지고 있는 것일까
그 호기심이 내일의 나를 어디로 인도할런지….

NK2   Μαρμάρινος βωμός αφιερωμένος στον Ερμή, την Αφροδίτη, τον Πάνα, τις Νύμφες και την Ἴσιδα. 1ος αι. π.Χ.

Marble altar dedicated to Hermes, Aphrodite, Pan, Nymphs and Isis. 1st cent BC.

20

사소한 취향의 발견

나는 에스프레소를 좋아한다. 갓 내린 진하고 뜨거운 에스프레소를 몇 모금 음미하며 마시고, 미지근해지면 즉시 얼음이 한가득 들은 컵에 넣어 아이스 커피로 천천히 두고 마시는 것을 좋아한다. 내 다정한 지인들은 그래서 나를 위해 커피를 주문할 때 "에스프레소에 아이스 컵 따로 주세요."라고 말해준다. 비건인 내 친구 문은 커피에 우유 대신 두유나 어메이징 오트를 넣는다. 취향에 있어 좋은 원두의 종류나 품질, 풍미와 향미를 따지는 건 전혀 없지만, 우리가 좋아하는 맛이나 먹는 방법은 친구들도 서로 알 정도로 오랫동안 한결같다.

취향은 이렇듯 어느 정도 반복되면서 오랜 시간 만들어진, 한 인간이 가지고 있는 특정한 기호의 집합, 고유의 독특한 양식이다.
어떤 것을 취하고 싶은 마음, 끌리는 경향을 말하는 '취향'은 사회적 법적 윤리적으로 제약을 받는 사상이나 신념 같은 것보다는 보통 취미나 나의 커피 마시는 스타일같이 사소한 것을 말한다. 그러나 톨스토이가 얘기한 것처럼, '취향이란 인간 그 자체'라 할 정도로 한 사람의 많은 것을 보여준다.

내 어머니는 여행 때마다 색다른 장소를 방문한 기념으로 그곳의 커피잔을 두 개씩 사 오신다. 여행에서 돌아온 바로 다음 날, 동네 친구를 불러 새로 사 온 잔에 커피를 마시며 담소를 나누시는 게 늘 보기 좋았다. 명품 커피잔 세트 대신 진열장에는 폴란드, 포르투갈, 일본, 프랑스 등 각기 다른 나라로부터 온 커피잔들이 둘씩 나란히 그녀의 티타임을 기다리고 있는데, 신기한 것은 그 많은 찻잔의 스타일이 뭔가 다 비슷하다는 것이다. 각기 다른 문화의 장소에서 왔는데도, 모두가 손으로 직접 그린 듯한, 민속적인 무늬를 가진 고상한 색감의 커피잔들이다.
어머니의 패션 감각도 그릇의 취향과 연속선상에 있다. 앤틱하게 세공된 은이나 주석 장신구를 번쩍이는 금이나 진주보다 좋아하시고, 머플러나 가방도 모두 고상한 문양과 색을 가지고 있다. 나의 어머니와 비슷한 취향을 가진 이들이 좋아하는 도시는 아마도 이탈리아의 시에나나 아시시, 스페인의 톨레도, 일본의 교토같이 고풍스럽고 시간의 흔적이 느껴지는 작고 예쁜 소도시일 것이다.

자신의 취향과 좋아하는 도시의 지역적 감성은 서로 닮아있다.

취향은 나도 모르게 마음이 가는 방향이니, 생각이나 의지가 아니라 '끌림'이라 할 수 있다. 이렇게 끌려서 선택한 것들이 하나하나 모여 취향을 만들고 그 취향이 그 한사람의 분위기를 만든다. 그래서 무언가에 끌리는 자신의 감정에 솔직하고 그것을 선택해 보는 작은 경험들은 중요하다.

늘 확실한 취향이 없어 "아무거나!"라고, 자신이 선호하는 것을 뚜렷이 말하지 못하는 이들에게 여행을 통해 만나는 새로운 도시는 내 취향을 확인해 볼 수 있는 좋은 실험지가 된다. 여행은 기본적인 숙소와 식당, 교통수단뿐 아니라 엽서 한 장을 사더라도 하루에 너무도 많은 나의 선택을 요구하기 때문이다.

새로운 여행지에서 나도 모르게 눈이 가는 것들을 한번 유심히 찾아보는 거다. 온갖 것이 한데 모여 있는 벼룩시장 자판 앞을 어슬렁거리며 들여다보다가 그 많은 물건 중 내 마음에 딱 들어오는 하나가 반짝인다면, 그 역시 내 취향을 말해주는 것 중 하나임이 틀림없다. 굳이 그 물건을 사지 않아도 된다. 눈으로 보고 내 취향을 확인하는 것만으로도 나는 그 물건보다 더 큰 수확을 얻었으므로.

자기 취향을 잘 알고 있는 사람들은 차곡차곡 쌓아온 자기만의 색깔이 있다. 자신이 좋아하는 것과 싫어하는 것을 세 개 이상씩 말할 수 있고, 당장 소소하게 하고 싶은 일들이 구체적이다. 그들은 분명 자기만의 뚜렷한 감성과 매력이 있다. 그래서 같이 만나면, 내가 잘 모르는 분야에 대한 세계가 넓어지는 듯하여 나누는 대화가 즐겁다. 20세기 프랑스에선 계급

간 구별 짓기를 위해 취향을 누렸다면, 지금은 배경과 관계없이 관심사에 우열을 두지 않고 취향을 중심으로 관계를 맺고 친구가 될 수 있다.

각기 다른 문화를 가진 여러 도시를 많이 다니다 보면, 그 안에서 내 마음에 딱 드는 도시가 있음을 알게 된다. 음악이든 요리든 정원이든 그림이든 자신의 취향에서 비롯되는 여행들이 쌓여가면 특별히 내가 좋아하는 것들이 최상으로 존재하는 '나의 취향인 도시'들이 보인다. 그 도시의 감성 안에 곧 내가 있다. 딱 나 같은 도시, 딱 나 같은 마을이 있다.

당신의 취향과 가장 맞는 도시,
당신과 그래도 많이 닮은 도시는 어디인가?

21

쥐베흐니는 저녁이 아름다워

아이들에게 각각, 이제껏 했던 여행 중 제일 기억에 남는 여행이 무엇이 냐고 물었더니, 흥미롭게도 둘 다 같은 곳을 말했다.

"쥐베흐니Giverny!"

쥐베흐니. 모네의 수련이 있는 그 정원의 도시다. 아이들이 모네의 그림을 아주 좋아해서 그랬을까? 물론 빛과 꽃들로 가득 찬 모네의 그림들은 너무도 인상적이고 아름답지만, 그들이 그 마을을 잊지 못하고 기억하는 이유는… '클로드 모네' 때문이 아니다.

파리 북서쪽에 있는 작은 마을 쥐베흐니는 파리에서 운전해 1시간 반이면 도착할 수 있다. 우리는 그날 아침 파리를 떠나 오전 10시쯤 마을에 도착했는데, 이미 사람들은 모네의 정원에 입장하기 위해 긴 줄을 서고 있었다. 한참을 기다려 예매한 티켓을 찍고서야 우린 그 유명한 정원에 들어갈 수 있었다. '정원'은 인간이 꿈꾸는 이상향의 공간이라는데, 과연

인상파의 거장을 만들어 낸 파라다이스는 어떤 곳일까. 스위스 몬타뇰라에 있는 헤르만 헤세의 정원만큼이나 들여다보고 싶은 남의 집 정원이었다.

정원사들에 의해 계절마다 잘 가꾸어진 형형색색의 수많은 꽃들은 정말로 화려하고 탐스러웠다. 오르세 미술관에 걸린 작품 '양귀비 들판 Coqielicots, La Promenade'에 흐드러지게 피어있는 꽃, 그가 가장 사랑했던 진홍색 양귀비도 그곳에 만개해 있었다. 나는 모네가 아침에 일어나 티한 잔을 들고 2층 창문을 통해 자신이 직접 가꾼 결실의 정원을 바라보는 그 느낌이 뭔지 알고 싶었다. 하지만 정원이 쫙 내다보이는 그의 집 2층 공간은 이미 기념사진을 찍으려 다닥다닥 창문을 가리고 있는 사람들 때문에, 일상의 정원을 음미해 보기는커녕 방벽에 붙어있는 가츠시카 호쿠사이의 그림도 자세히 보기 어려웠다.

수련이 있는 연못도, 일본식 다리와 배까지, 그의 그림 속에 있는 것 그대로였다. 그러나 한낮의 땡볕이 내리쬐는 정원에 선 우리 모두에겐 그늘이 좀 필요했다. 연못 주변 벤치에는 더위에 지쳐 손수건으로 땀을 훔치며 쉬는 사람들로 그득했다. 모네의 그림에서 보이는 것처럼, 시시각각 빛의 변화에 따라 아름다운 정원의 영감이 내 마음을 터치할 줄 알았는데… 나는 참을성 부족으로 인해 도통 집중이 안 되고 '덥기만 했다.' 기념품 파는 곳에도 여행객들이 그득했는데 굳이 여기 아니어도 모네 기념품은 세계 어디나 다 있으니 가지 말자, 하고 도망치듯 정원에서 나왔다.

우리는 쥐베흐니 박물관을 잠깐 들러본 후 빨리 그다음 여행지인 루앙 Rouen으로 떠났다. 가뿐히 1시간 거리인 루앙은 잔다르크가 처형당한 도시로, 대성당을 보고 나서 루앙에서 제일 맛있는 식사를 하자고 했다. 차를 안전히 주차하고 지갑과 핸드폰만 들고 내리려는데, 핸드폰이 없다! 당황스러웠다. 기억을 더듬어 보니 뮤지엄에서 화장실을 들렀을 때 그 화장실 선반에 두고 나온 것 같았다. 후회할 시간도 없었다. 시간은 4시, 뮤지엄은 5시에 닫는데 쥐베흐니까지 거리는 1시간, 엄청난 레이스가 시작되었다. 아이들이 후에 말하기를, 엄마 운전이 거칠어 몇 번이나 토할 뻔했지만, 엄마 눈치를 보며 말도 못 했다고 했다.

4시 55분 도착. 사람들은 뮤지엄 닫기 30분 전부터 천천히 나오고 있었고 관계자와 경찰 두 명이 관람객들을 안전히 내보내며 인사를 하고 있었다. 주차할 시간이 없어 어린 딸이 대신 경찰에게 뛰어갔다. 뭐라고 뭐라고 서로 얘기하는 것이 멀리 보였다. 그러더니 아이가 밝게 경찰에게 손을 흔들며 뮤지엄 안으로 뛰어 들어간다. 허락해 줘서 다행이긴 한데 정말 있을까? 있어야 되는데. 뒷모습을 보며 마음을 졸였다. 그런데 잠시 후, 딸이 내 핸드폰을 높이 쥐고 흔들면서 신나게 달려오는 것이다. 아고, 찾았구나! 기적이었다!

누군가가 내 핸드폰을 분실물 센터에 맡겨주었다. 파리 카페에서는 옆에 잠시 둔 핸드폰도 잠깐 고개 돌리는 사이 누가 가져가 버린다고, 반드시 가방에 넣고 가방을 아예 목에 걸고 있으라고 어느 프랑스 할아버지께서 (의자 위에 가방을 사뿐히 두고 수다 중인) 나에게 단단히 일러주셨었는데. 대체 누가 이런 천사 같은 일을 했을까.

나의 핸드폰은 아주 착하고 유쾌하고 재미있는 미국인의 손에 잠시 들어갔었다. 핸드폰을 열어보니 그 안에 핸드폰을 주웠던 친구가 잃어버렸던 화장실 안에서 찍은 짧은 영상이 들어 있었다.

"안녕! 내가 너의 핸드폰을 돌려준 제이미야! 난 미국에서 왔고, 쥐베흐니에서 만나 반가워. 네가 이 핸드폰을 찾아서 행복하기 바래!"

단 한 번도 얼굴을 마주하지 못한 사이인데도 어떤 사람은 순간의 친절과 재치로 이렇게 남을 행복하게 만들 수 있다.

안도하는 마음이 들고나니, 그제야 저녁 시간이 다 되어가고 있다는 것을 알았다. 긴장했던 마음이 쇄악- 풀리면서 평안히 가라앉는데 마침 노을이 지기 시작했다. 관광객이 다 빠져나간 쥐베흐니는 정말로 조용하고 사람을 찾아볼 수 없었다. 마을 사람들은 모두 집에서 저녁 준비를 하고 있는듯했다. 아이들 손을 잡고 레스토랑을 찾아보자고 천천히 걷기 시작했는데, 쥐베흐니의 분홍색, 녹색 슬레이트 지붕이 노을빛으로 물들어가고 있었다. 모네가 편지에 쓰기를, 자기는 여기서 영감을 얻어 작품을 하며, 죽을 때까지 이 마을에 머물고 싶다고 했는데 그리 말한 이유를 알 것 같았다. 30년 동안 100여 명의 예술가들이 왜 잇달아 쥐베흐니에 머물며 지냈는지도 끄덕여졌다.

저기 고즈넉한 담벼락 위에 누런색 큰 개 한 마리가 한쪽을 뚫어지게 바라보며 앉아 있었다. 미동도 안 하고. 주인을 기다리는 것 같았다. 주인을 기다리는 개에게 다가가 인사를 했다.

"안녕? 넌 여기 사니? … 좋겠다."

우리가 사는 세상에서 가치있거나, 의미있거나 오래 남는 기억들은 좌충우돌 여행처럼 말끔하지 않은 여행 속에서 만들어진다. 압도적으로 불리한 상황을 이겨낸 곳은 그 어디여도 아름답지 않은가.

잃어버린 것을 다시 찾은 기분 때문인지, 아니면 무대 가면을 벗은 배우를 만난 것처럼, 프랑스 시골 마을 본연의 모습을 봐서 그런지, 우리의 기억에 쥐베흐니의 가장 아름다운 시간은 그 인기있는 모네의 정원 투어 시간이 아니라, 정원이 닫히고 모두가 돌아간 시간! 마을이 텅 빈 저녁 시간이었다.

누군가 그 장소의 진정한 모습을 보려면 한번 가지 말고, 장소가 속살을 보여줄 때까지 가고 또다시 가보라고 했는데 정말 그랬다. 다시 안 왔더라면 쥐베흐니가 덥고 별거 없었던 곳이라 기억되었겠다. 다시 안 왔더라면 쥐베흐니의 저녁 바람에 이런 향기가 실려있는 줄 몰랐겠다. 모네가 쥐베흐니의 모든 계절과 날씨와 시간에 따라 다양하게 연출되는 수련의 모습을 사랑했던 것처럼, 이 동네는 다른 계절의 모든 시간도 또 다르게 아름답겠다는 생각이 들었다. 장소에 대한 인상은 같은 곳이라도 시간과 사건과 만나는 사람에 따라 완전히 다른 기억으로 남는다.

한낮의 열기가 꺾인 쥐베흐니의 여름밤, 야생화 냄새가 은은히 나는 조그만 야외 식당에 앉아 뇨끼와 와인을 마셨던 기억은 언제나 떠올려도 설렌다.

22

아무것도 하지 않는 것의 달콤함

아무것도 하지 않기로 했다.

머칠은 그냥.

낯선 도시에서 첫 번째 아침을 맞는 가장 좋은 방법은 오래된 현지인들의 카페에 가서 맛있는 커피와 아침 식사를 든든히 먹고, 그곳을 가장 잘 보여주는 유적지나 문화유산을 하나 보러 가는 것인데,

나는 오늘 피렌체의 대성당도, 두오모에도 가지 않고, 우피치 미술관의 보티첼리나 수태고지도 보러 가지 않고, 좋아하는 카페 질리Caffe Gilli의 티라미수도 포기하고… 그냥 시골로 간다.

피렌체를 벗어나, 토스카나Toscana 지방의 광활한 풍광으로 들어가, 그냥 아무것도 하지 않으려고 키안티 지역의 농가를 빌렸다.

이탈리아에서 가장 아름다운 드라이브 길, SR222를 따라 끝없는 포도 농장과 구불구불 물결치는 언덕, 드높은 하늘을 원 없이 보면서 아시아노Asciano에 예약한 아그리투리스모Agriturismo로 향했다. 아그리투리스모는 예전에 목장이나 농장으로 쓰였던 곳을 개조해 만든 팜스테이로, 농부나 그 가족들이 직접 운영하기 때문에 대부분 작고 서민적이지만, 이탈리아 시골에서 휴가를 보내기에 이보다 더 좋은 선택은 없다.

일단 농가에 들어가면 다시 뭘 사러 나오기 귀찮을 것 같아서, 들어가기 전, 시에나Sienna의 지역 농협에 들려 프로슈토와 치즈, 멧돼지 라구 소스, 키안티 와인, 그리고 그 동네의 디저트 과자들을 좀 샀다. 이탈리아의 소도시들은 그 동네에서 직접 생산한 제품을 이런 식료품 가게에 내놓기 때문에, 신선하고 가격도 저렴했다. 수제 파스타 소스나 과일잼들은 작은 유리병에 담겨있었는데, 병 위에 라벨을 붙이고 생산자명, 유효기간을 구불구불 펜글씨로 써 놓은 게 퍽 정감이 갔다.

낯선 이국의 식료품점에 들리는 것은, 어느 나라를 가도 다 흥미롭다. 온갖 모양과 색깔의 링귀니, 라자냐, 탈리아텔레, 펜네 파스타들이 2.4유로밖에 안 하는 것을 본 순간, 나도 모르게 '선물하면 좋겠다'는 핑계로 다 시장 가방에 집어넣고 싶은 충동이 잠시 일기도 했다. 하지만 이번 여행의 취지를 다시 새기며, 일단 농가에서 먹을 음식만 몇 개 사서 숙소로 향했다.

PASTA FUSILLONI GR.500
COLT. TOSCA
€ 2,40

PASTA PAPPARDELLE GR.500
COLT. TOSCA
€ 2,65

PASTA LINGUINE GR.500
COLT. TOSCANA
€ 2,65

...GO COLT. TOSCAN-GR.
€ 2,40

PASTA RIGATONI GR.500
COLT. TOSCANO
€ 2,40

PASTA PACCHERI LISCI
GR.500 COLT. TO
€ 2,40

토스카나 특유의 들판을 지나다가 사이프러스 나무가 일렬로 죽 늘어서 있는 곳은 대개 저택이나 이런 농가의 입구다. 환영하는 의미로 심은 듯했다. 문을 열어주면서 마주한 이탈리아 농부 아저씨는 영어를 한마디도 하지 못했지만, 그 선한 미소 하나로 우릴 환영한다는 의미가 충분히 느껴졌다. 말이 안 통하는 나라에서 손짓, 발짓, 눈빛, 보디랭귀지로 소통하는 맛을 이 시골에 와서야 오랜만에 경험하는구나- 싶었다. 아- 그런데, 아저씨가 갑자기 스마트폰을 꺼내더니, "반갑고 잘 왔다, 환영한다!"는 이탈리아어를 한국말로 번역해서 보여준다. 서로의 낯선 언어가 통역되는 건 아주 편한 일이었지만, 이 시골 농가까지 일부러 찾아왔을 때 내심 가졌던 기대와는 너무 안 어울리는 만남이라 조금 당황스러웠다. 그 네모난 기기에서 벗어나 보려고 여기까지 왔는데, 체크인부터 그 기기가 나타난 것이다.

방을 안내받았다.
2층, 아늑한 나의 방 창문으로는 키 큰 사이프러스 나무가 보이고 사방이 초록색 굽이치는 들판의 향연이다.
아침에 수탉 울음소리에 잠이 깨어 농가의 아침을 맞고, 올리브 나무와 포도밭에 진한 태양이 드는 오후를 만나고, 그동안 잊고 지낸 별이 쏟아지는 밤을 보내게 될 거다.

여행을 떠나오기 전, 나는 게임도 하지 않고 영화나 드라마도 많이 보지 않는데, 휴대폰에 내 감각을 빼앗겼다는 생각을 멈출 수 없었다. 내가 좋

아하고 날 필요로 하는 사람들과 소통하고 빨리 응대해 주려 가까이 두려고 한 건데, 의도는 좋았으나 점점 그것을 손에서 놓지 못하고 있었다. 생각할 시간이 없었다. 깊이, 내면의 중요한 가치들을 떠올릴 시간이 없으니, 뭔가를 결정해도, 사람을 만나도 바닥이 드러나는 것 같은 느낌이 들었다. 소로Thoreau의 월든 호수로 가야만 할 것 같았다…. 고민 끝에 내가 월든 대신 선택한 곳은 바로 이곳이었다.

첫날 농가에 도착한 사람은 우리밖에 없었다. 시에나에서 사 온 치즈와 와인 한 병을 쟁반에 담아 나무 벤치로 가지고 나왔다. 아저씨가 만든 벤치는 각도도 약간 기울고 칠도 벗겨져 있었지만, 그런 디테일은 중요치 않았다. 거기 앉아 눈앞에 구불구불 펼쳐진 초록색 풍광을 한참 바라봤다. 하늘에 360도로 둘러있는 구름이 바람에 서로 밀려가면서 그 색이 서서히 핑크로, 코랄로 번지고, 그 빛이 언덕 위에 고스란히 내려앉아 저 멀리 있는 산도 보랏빛으로 변해가고 있었다. 토스카나의 저녁 언덕은 정말 오랜만에, 그림이 그리고 싶어지게 했다.

하늘을 그릴 때는 저녁 무렵이 좋다. 종이와 연필을 이용해 하늘의 모습을 그러데이션으로 표현한다. 물감 없이 물감의 표현력을 드러낸다는 느낌으로 최대한 부드럽게 그러데이션 한다. 선과 점을 반복해서 그리다 보면 지루할 것이다. 그럴 때마다 하늘을 바라보며 이 아름다움에 감사해야 한다는 사실을 마음속에 되새기자.

존 러스킨, 『존 러스킨의 드로잉』 中

다음날부터는 농가 근처의 청보리밭에도 가보고, 사이프러스 나무가 끝없이 늘어선 길을 따라 걸어보기도 했다. '아무것도 하지 않는다는 것'은 내 삶을 의식하지 못할 정도로 나를 바쁘게 했던 일상에서 '벗어나는' 것이기도 하지만, 그저 아무것도 안 하고 늘어져 있는 게 아니라, 내 삶의 공간에서 그동안 무시하고 살아왔던 모든 생명체에 다시 '연결되는' 것이다. 내 몸을 일으켜, 걸어가, 그들을 문안하는 것이다.

사진 속 배경에 언제나 등장하는 사이프러스 나무에 한번 가까이 다가가 봤다. 참. 나무를 이렇게 가까이 본 것이 언제였나. 일렬로 삐쭉이 하늘로 솟은 뻣뻣한 침엽수인데, 다가가 잎을 만져보니, 오! 생각보다 바늘잎들이 야들야들하다! 멀리서는 빽빽하게 잎으로만 꽉 차 보였는데, 자세히 보니 그 사이사이 크리스마스 장식같이 귀여운 회갈색 솔방울 열매들도 달려있다! 멀리서 보는 것과 가까이서 보는 것이 다르고, 스쳐 지나듯 보는 것과 시간을 두고 자세히 보는 게 이렇게 다르다. 사람도 그렇지. 세상엔 시간을 쏟아 마음을 주어야만 발견할 수 있는 신비가 있다.

근처 숲속에서 비밀의 정원 같은, 아주 오래된 수도원을 발견하기도 했다. 수도원의 작은 기도방들은 숲속 오솔길에 하나씩 숨겨져 있었는데, 문이 잠겨 있었지만, 문에 난 작은 구멍을 통해 작은 십자가와 기도 의자가 놓인 방안을 살짝 구경할 수 있었다.

'누구에게도 들어본 적 없는 교회를 발견하는 것이 로마에서 수많은 관광객 뒤에 줄지어 시스티나 성당을 관람하는 강박에 시달리는 것보다 훨씬 중요하다'고 했던 헨리 밀러의 말을 내가 성취해 낸 기쁨을 느꼈다.

그냥 그렇게 며칠을 놀았다.
나의 존재를 이 세상에 증명하기 위해서 정신없이 살다가 잊었던
인생의 기쁨을 다시 삶에 들이는 시간이었다.

"돌체 파르 니안떼 Dolce Far Niente!"
이탈리아어로 달콤하다는 뜻의 돌체dolce와 아무것도 하지 않는다는 뜻
의 니안테niente가 만나 '아무것도 하지 않는 것의 달콤함'을 말한다.

그해 초여름, 아시아노의 아침 공기는 병에 담아 아침을 잃어버린 사람들에게 나누어 주고 싶다는 생각이 들 정도로, 신선하고 촉촉하고 달콤했다. 아침 공기는 아무리 차가운 지하실에 넣어두어도 정오까지 견디지 못하고 그 전에 병마개를 밀어젖히고 새벽의 여신을 따라 서쪽으로 날아가 버린다는 것을 잊지 말라고 소로가 경고해 준 것처럼, 내가 지금 누릴 수 있는 것들이 더 견디지 못하고 날아가 버리기 전에,
이 달콤함을 누려야지.

나의 존재 의미와 무관한 일들에서 잠시 벗어나
들판에 떠가는 구름처럼 자유롭게,
어디에도 매이지 말고
나의 존재 목적이 나를 이끄는 데로…

23

우리들의 여행 기억법

그들은 일기를 쓰기 위해 여행을 갔나 싶을 정도로 열심히도 글을 쓴다. 낯선 곳에서 마주한 자신의 소중한 감각과 감정과 생각을 놓치지 않으려, 펜 끝에 꾹꾹 눌러 담아 빼곡히 노트를 채운다. 여행하는 연과 준은 일기 맨 앞에, 우리가 늘 적는 전형적인 형식, '날짜 옆에 날씨' 대신에 '—에서 쓰는 일기'라고 장소에 대한 설명을 쓴다.

연은 날짜로 시작되는 첫 문장을 쓸 때, 그녀가 머무는 '나라마다의 언어로' 날짜와 요일을 표기하는 센스가 있다. 기록날짜만 봐도 어느 나라인지 딱 알 것 같다. 또, 그 날짜 뒤에 장소를 같이 묘사해 주어 그녀가 어떤 분위기 안에서 글을 쓰고 있는지도 상상이 된다. 그녀의 일기의 시작은 이런 식이다.

1月 31日. 재즈카페 Back stage에서 진라임을 온더락으로 마시며 쓰고 있는 일기 (이건 일본, 오사카에서 쓴 일기였다.)
07.26. Mercredi. 뤽상부르 공원의 초록색 의자에 편하게 기대앉아 쓰고 있는 일기 (이건 프랑스, 파리에서 쓴 일기였다.)

이에 비해 쭌은 언제나 뭘 마시고 뭘 먹으면서 쓰는지를 첫 문장에 기록한다. 뭘 먹었는지만 봐도 어느 도시에서 머물고 있는지를 알 수 있다. 재밌는 쭌만의 여행 기억법이다.

5.16. 200cc 쾰시맥주와 뉘른베르크 소시지를 먹으며 일기를 쓴다.
12.31. 토시코시소바(年越しそば)를 만들어 먹으며 일기를 쓰고 있다.
8.26. 키안티 클라시코 한잔과 크로스티니Crostini를 먹으며 일기를 쓴다.

그들은 장소를 향유하는 자기만의 방법, 자기만의 장소를 오래도록 진하게 기억하는 방법에 대해 도가 튼, 높은 경지의 여행자들이다. 나는 이번 여행에서 연에게 배운 방법을 한번 써볼까 하여 이전과 다른 특별한 여행 가방을 싸고 있다. 지난 여행에서 그녀는 오사카의 이쁜 편지지 가게 '줄리엣트 레터Juliet Letter'를 들릴 일정을 계획하며 여행 가방에 '편지 쓰는 법'이란 책을 넣었다. 매번의 여행마다 그날의 행선지와 챙길 책에 연결고리를 만들어 주는 그녀의 소중한 버릇이 너무도 사랑스러웠다. 그녀에게는 여행 가방이 작은 도서관이겠다. 여행 중에 읽게 될 책들, 여행지에 어울리는 책들이 한가득한 그녀의 가방속이 너무 흥미로웠다. 나도 한번 그

녀처럼 여행에서 들를 곳과 평소 읽고 싶던 책을 매칭해 본다. 이번 여행에는 에트르타Étretat와 옹플뢰르Honfleur같은 노르망디의 항구와 어촌을 들를 것인데… 무슨 책이 좋을까. 모네와 쿠르베, 마티스 같은 화가들이 무척 사랑했던 곳이니 프랑스 시화집을 읽어도 좋겠고, 에트르타가 소설의 배경으로 등장하는 모파상의 '여자의 일생'을 다시 읽는 것도 좋겠다.

모네가 그린 코끼리 절벽 팔레즈 다발Falaise d'Aval이 보이는 해변, 석회암 자갈밭에 비치타월 한 장을 깔고 엎드려 책을 보다가 감동한 구절에 줄을 긋기도 하고, 이곳에서 파는 과실주, 시드르를 한 모금 마시기도 하면서 시간을 보내면 좋겠다. 한참 책을 보다가, 햇살이 뜨거워지면 잠시 일어나 바닷물에 발도 담그고… 배가 고파지면, 그 앞 푸드트럭에서 피자 한쪽을 사서 들고 와 한입 베어 물고 다시 독서를 이어 나가는 상상! 나는 어느새, 에트르타의 해변에 있다. 한참 책을 보다가 햇볕에 눈이 부셔 '아– 선글라스를 가져올걸…' 후회하는 생각이 떠올라, 즉시 선글라스도 가방에 챙겼다.
시드르를 샀던 영수증을 책갈피로 끼워두면, 날짜와 주소도 찍혀있으니 언젠가 에트르타 해변서 읽은 책을 다시 펼치게 될 때 그날의 근사한 소풍이 그대로 기억나겠다.

제이가 내 여행계획을 듣고 여름이 되기도 전, 5월에 먼저 에트르타에 갔다. 내가 누워 책을 읽을 생각이던 그 해변에 앉아 팔레즈 다발을 바라보며 무슨 생각 중이신지, 나름 멋진 뒷모습 사진을 보내왔다.

과거 나의 여행에 대한 기억은 사진이 대부분이었다. 그리고, 과거 내 카메라의 주인공은 죽어있는 것들이었다. 몇십 년 길게는 백년, 천년의 시간을 견뎌 낸, 오래된 건축물들, 유명 디자이너에 의해 막 등장한 세련된 실내 공간, 비일상적 아이디어를 담아낸 전시물들 말이다.

그런 어느 날, 알게 되었다.

내가 찍고 있는 죽은 것들을 잘 화장해서, 더 멋지게 보여주는 포토그라퍼들이 있다는 것을. 차라리 그 시간에 한 번이라도 더 세상의 아름다움을 만져보고 들여다보고 즐기는 게 낫다는 것을.

그 뒤로, 보게 되었다. 푸드득 오래된 두오모 꼭대기로 날아오르는 비둘기들, 미술관 마당에 눈처럼 내리는 벚꽃 잎들, 누군가와 얘기하는 사람, 계단에 앉아 책을 보는 사람, 잔디에서 연인의 무릎을 베고 누운 사람, 사람, 사람들이 보였다.

전에는 사진을 찍기 위해 기다렸었다. 그 사람들이 다- 지나가기를.

말끔하게 인쇄된 포스터처럼 깨끗한 자태로 죽은 것들을 흠 없이 담아내려 한참을 열심히도 기다렸다.

그러나, 이제 난 순간을 본다.

사람이 풍경으로 피어나는 순간!

시인의 말처럼, 사람이 풍경일 때처럼 행복한 때가 없다.

생활하는 여행자의 집

철학자 니체가 분류한 5등급의 여행자 중 최상급의 여행자는
세상을 직접 관찰하고, 자신이 체험한 것을
집에 돌아와 생활에 반영하는 사람이다.
그런 사람을 '생활하는 여행자'라 한다.

24

아프리카에서 돌아와 대야를 샀다

아프리카를 다녀온 뒤에…
대야를 샀다.

아프리카에서 머물던 작은방.
그 작은방의 물탱크를 채우기 위해
우물에서 수십 번 물을 퍼서 양동이에 담고,
비틀비틀 양손에 쥐고 와
탱크에 붓기를 수십 번 반복하던 소년이 있었다.

"땡큐!" 하고 말하면 수줍어하며 씩 웃던 얼굴.
그 순진한 눈망울을 본 이후,
나는 숙소에서 물을 마구 퍼서 몸을 씻을 수 없었다.
내가 물을 아끼지 않으면 그는 또 한 번,
그 뙤약볕 아래, 저기 먼 우물까지 몇 번을 오가야 할 것이다.
내가 아끼는 만큼 그는 아주 조금이라도 편안할 수 있었다.

물이 귀한 나라에 와서야,

그들이 못 쓰는 물을 내가 평생 얼마나 써댔는지 알았다.

여행은 늘 당연했던 것들이 당연한 것이 아니었다고 말해준다.

여행은 으레 그랬던 것들이 아니, 특별한 무엇이었다고 말해준다.

손잡이를 누르면 물이 쫘 내려가는 화장실,

엄청난 양의 흰 빨래를 뜨거운 물로 빨아주는 세탁기.

세수를 하다 콸콸 쏟아져 나오는 투명하고 맑은 물이

그냥 하수로 철철 흘러가는 게 너무 아까와

대야를 사야겠다고 생각했다.

아프리카에서 만난 아이들의 그 흙먼지 묻은 작은 발들을 기억하려,

내가 세수한 물보다 더 더러운 물을 먹는 이들이 있음을 기억하려,

대야를 사겠다고 마음먹었다.

그런데, 물을 아끼겠단 생각으로 대야를 사려하면서도

여전히 내 화장실 인테리어에 어울리는 대야를 찾아 헤매는 나는,

직업병일까. 외식적 삶의 양태일까. 난 아직도 단순하지가 않다.

절약하면서도 또 그 와중에 스타일이 있어야 하는 나를 위해

은이가 고맙게도 어디서 크림색 대야를 발견해 사다 줬다.

그날부터

대야에 물을 받아 쓰고, 쓰고 난 물을 변기에 붓는 의식을 통해

아프리카, 그 먼 땅을… 나는 잠시라도 기억한다.

25

책들도 여행을

산토리니에는 딱 한 개, 정말 작고 예쁜 책방이 있다.

책 있는 공간을 좋아해 여러 도시를 여행할 때마다 가까운 서점이나 헌책방, 도서관을 들르곤 하는데, 나는 일본의 츠타야나 파리의 셰익스피어 컴퍼니보다 산토리니의 '아틀란티스 북스'가 맘에 든다.

산토리니 북쪽 골목을 이리저리 거닐다가 진노랑 벽에 '아틀란티스 북스 Atlantis Books'라 쓰인 하늘색 글자를 봤다. 지하로 이어지는 계단의 벽에는 손수 그려진 귀엽고도 따뜻한 책들의 그림이며 글씨들이 들어가기도 전에 책방 분위기가 어떨지 말해줬다. 작은 문으로 들어가서 만난 책방은 고요하고 빈티지한 개인 서재 같으면서도 곳곳에 동화 같은 스토리가 느껴지는 공간이었다.

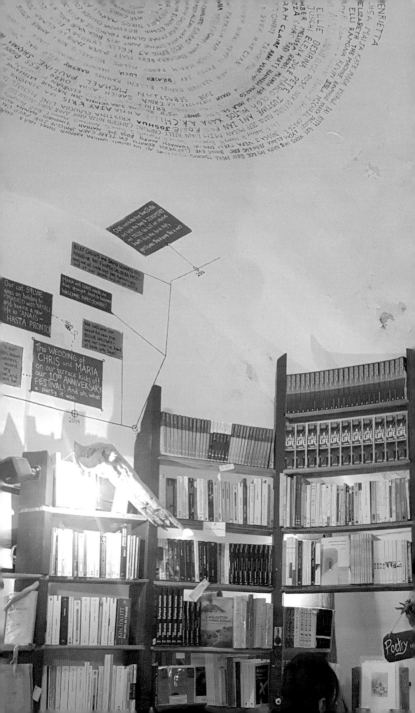

가장 먼저 눈에 띈 것은 서점 둥근 천장에 소용돌이 모양으로 적혀있는 글씨들이었다. 지중해와 문학을 사랑하는 세계 각국의 젊은 영혼들이 이곳에 머물다가 남기고 간 흔적들, 연도별로 적힌 그들의 이름과 사연들이었다. 듣기로 이곳은 산토리니에 일주일 여행 왔던 청년 둘이 섬에 책방이 하나도 없는 게 아쉬워 만들게 되었다고 한다. 이후로 책방은 산토리니와 문학에 매력을 느끼고 모여든 전 세계 자원봉사자들에 의해 자유롭고 독립적인 방식으로 운영되고 있다고 했다. 한 번쯤은, 자기 심장이 시키는 대로 세계 어디든 가서 자기가 원하는 시간을 마음껏 보내보는 이들이 너무 멋지고 부러웠다. 책방을 닫은 늦은 시간, 혹은 책방을 열기 전 이른 새벽, 한 귀퉁이 좁은 침대에 엎드려 무언가를 끄적이는 서점 청년의 모습이 그려졌다. 이런 자유로운 삶이 있는 줄도 모르고 살아왔던 나나, 취직을 향해 앞만 보고 달려가야 하는 내 주변 친구들이 쉽게 엄두를 낼 수 없는 일 같아서 묘한 시샘과 부러움이 들었다.

책방에서 다음으로 눈에 들어온 건, 산토리니 여행자들이 여행 중 읽었던 책을 또 다른 이들이 볼 수 있도록 남겨두는 도서 기증 선반이었다. 누군가 놓아둔 몇 권의 책을 넘겨보는데 낯선 이국의 언어들로 된 책들이 신기했다. 이 그리스 섬까지 휴가에도 책을 들고 오는 사람이면 그가 선별한 책은 좋은 내용일 것만 같았다. 이 먼 나라의 섬에서 모국어로 된 책을 발견하면 얼마나 반가울까, 이 책은 어느 나라 사람의 손으로부터 와서 또 어느 나라 사람의 손에 쥐어질까, 책은 그런 여행자들을 통해 세상을 여행하겠구나… 여러 생각이 들었다.

그즈음 내 집엔 한 벽을 가득히 차지했던 책장이 있었다.

내겐 책장을 정리하는 나름의 원칙도 있었다. 비슷한 장르나 소재끼리는 함께 두고, 요즘 관심 두는 책들은 손닿기 쉬운 높이에 두고, 선물하기 위해 여분으로 사놓은 책들은 끝 쪽에 따로 두고, 좋아하는 그림이나 사진 책들은 언제든 펼쳐볼 수 있게 눕혀 두었다. 그리고 (남들은 잘 눈치채지 못하지만, 나름 디자이너의 마인드로) 책들이 서로 키와 옷 색깔이 어울리는 이웃을 만나도록 신경을 쓰곤 했다.

그런데 이 여행을 통해 나는 하나의 원칙을 더 추가했다. 그것은 책장의 한계를 넘어가는 책들에 관한 것이었다. 일 년에 한 번도 펼쳐보지 않는 책들을 그저 쟁여두고 계속 새 책을 사들이고 뿌듯해하는 욕심과 허영을 견제하고자 책장의 한계를 넘어가는 책들을 다른 곳으로 여행시키기로 했다. 책과 어울리는 다른 친구들에게, 책이 미처 만나보지 못한 세계의 사람들에게 책을 여행 보내기로 했다. 단 한 사람의 서가에서만 죽도록 살다가 그 사람이 죽으면 집 앞 재활용품 더미에서 생을 마감할 것이 아니라, 여러 사람의 집으로 여러 번 여행하고 세상을 돌아다니게 해주기로 했다. 나름 새로운 세상을 만나는 여행일 뿐 아니라 세상을 널리 이롭게 하다가 생을 마감케 되는 여행이 되리라.

후에 지금의 집으로 이사를 올 때, 전 집의 새 주인이 내 책장이 마음에 들었는지 어디서 샀냐고 물었다. 그 집에 딱 맞춰서 짠 책장이어서 잠시 망설이다 나는 그녀에게 그 책장을 선물했다. 새로 이사하는 내 동네에는 너무 좋은 도서관들이 많았으므로, 그 참에 나는 더 많은 책을 여행 보냈다.

26

사이렌이 울리면

어떤 친구는 맥주를 들고 벽에 기대어, 어떤 친구는 바닥에 쭈그려 앉아, 잘 들으려 애써야 반쯤 이해되는 독특한 발음들로 자기 얘기를 해댔다. 말이 독서클럽이지, 실은 영어를 배우며 뉴욕을 알고픈 여러 나라 청년 들의 모임이었다. 십여 명 남짓한 우리의 아지트였던 소호의 아파트는 그 중 유일하게 뉴요커라 자부하는 유대인 친구의 집이었다. 집에는 화이트 보드가 하나 있었는데, 대화 도중 우리의 특이한 발음으로 인해 소통 불 가 상황이 올 때마다 아주 톡톡한 역할을 했다. 나가서 그 위에 직접 단 어를 쓰거나 그림을 그려 설명하면 곧 나머지 모두가 "아하!" 하는 탄성 을 질렀다. 늘 외국인들과의 대화가 그렇듯 우리는 뭘 얘기해도 끄덕이고 깔깔거리며 다 알아들은 듯 반응했다.

그런데 그런 우리의 대화를 시도 때도 없이 방해한 건, 다름 아닌 뉴욕의 '사이렌' 소리였다. 옆집 윗집 떠들썩하게 밤을 즐기는 소호의 청춘들도 아니고, 시간마다 앵앵대는 소방차, 경찰차 응급차 등의 사이렌 소리였

다. 대체 이토록 자주 응급상황이 발생하는 도시가 있나. 데시벨이 올라
갈 때마다 짜증이 났다. 너무 자주 나니까 급기야 이게 진짜 급한 사이렌
소리가 맞아? 빨리 교통체증에서 벗어나려고 가짜로 울리는 게 아니야?
의심이 가기도 했다.

그러던 어느 날 밤, 늘 스쳐 지나가던 사이렌 소리가 점점 가까이, 점점
더 크게 들렸다. 한 친구가 밖을 내다보더니 구급차가 바로 우리 아파트
문 앞에 있다고 했다. 뭔 일인지 같이 나가보자해서 문을 열었는데, 바로
앞집 문이 활짝 열려 있고 거기 사는 누군가가 들것에 실려 나오고 있었
다. 옆에는 패닉 상태로 눈물이 범벅이 되어, 소리를 질러대는 스페니쉬
여자가 보였다. 들것에 실린 남자는 목을 흉기에 찔렸는지 목에서 피가
계속 흐르는 것을 붕대 같은 걸로 감아놨는데, 피범벅인 그의 왼쪽 뺨과
피로 물든 상의를 보니… 그가 죽을지도 모르겠단 생각이 나도 모르게
들었다. 피를 무서워하는 한나는 차마 그 광경을 못 보고 집 안으로 들
어와 놀란 가슴에 울기 시작했다. 우리는 '이게 바로 뉴욕이다!'를 강렬히
톡톡히 체험하고 있었다. 눈앞에서 벌어진 광경에 가슴이 벌렁거리고 두
려웠다. 구급차는 급히 떠났고, 경찰은 사건 경위를 조사하는지 여자에
게 뭔가를 물어보다가 결국 그녀도 경찰차에 태워 데리고 갔다.

아파트 문을 닫았다. 순간-- 적막이 흘렀다. 아무도 말을 안 했다.
한 친구가 컵에 물을 따라 나눠 주었다. "같이 물이라도 마시면서 마음을
진정시키자" 했다.

"저 사람 죽을까?" 한나가 눈물을 닦으며 말했다. 그때 그 집 주인인 유대인 친구가 놀라 어쩔 줄 모르는 우리에게 이런 말을 했다.

"우리 가족이 존경하는 랍비, 레브 잘만Reb Zalman이 구급차 사이렌이 들릴 때마다 빨리 목적지에 도착하게 해달라고 기도하라 했었어. 골든 타임을 놓치지 않게 해달라고. 그리고 소방차 사이렌이 들리면 빨리 위험에 처한 사람이나 동물을 구하고, 대원들도 안전하게 해달라고 기도하고. 또 경찰차 사이렌이 들리면, 폭력에 처한 사람들을 위해 빨리 현장에 도착하도록 기도하랬어. 나는 생각나면 했다, 안 했다 그랬었는데… 진짜 이런 일이 있네."

그 말을 듣는데, 사이렌이 시끄럽게 앵앵거릴 때마다 그저 신경질적이었던 내가 몹시 부끄러웠다. 다들 종교는 저마다 달랐지만 자기도 앞으로 그래야겠다고, 이게 바로 이웃의 일일 수도, 아니 내 친구나 가족의 일일 수도 있겠다고 같이 고개를 끄덕였다.

그 옆집 아저씨가 죽었는지 간신히 살았는지는 모른다. 암튼 살아났길 바라는 맘으로 살인 미수사건이라 명명하자면, 그 충격적인 일과 사이렌 소리의 강렬함은 그 결속력이 엄청났다. 나는 정말 그 일이 있고 난 뒤, 어디선가 사이렌 소리가 들리면, 나도 모르게 그 랍비의 조언이 떠올랐다. '어떤 사람을 향해 가고 있을까?' 그를 위해 1초라도 기도하게 되었다. 여행의 장소에서 마주한 사건과 사람들은 이렇게 내 일상의 작은 습관, 마음가짐도 새로운 방향으로 바꾸게 했다.

27

미술관에서 다시 만난 쥐

오늘, 파리의 '부흑스 드 코멕스Bourse de Commerce' 미술관의 한 모퉁이에서 그 아이를 아주 많이 닮은 생쥐 한마리를 만났다. 18세기 곡물 저장소였던 곳을 복원해 안도 다다오가 디자인한 미술관 구조가 궁금해 건물 여기저기를 살피던 중, 마지막 전시장을 빠져나가는 통로 흰 벽 아래 구멍에서 나는 이 작은 생쥐를 발견했다.

구멍에서 살짝 얼굴을 내밀고 있는 생쥐는 라이언 갠더Ryan Gander라는 작가의 애니메트로닉 마우스였다. 이 작품은 미술관의 여타 다른 작품과 달리 사람의 시선이 잘 닿지 않는 구석, 그것도 바닥에 있었다. 생쥐는 연약한 어린아이의 목소리로, 들릴듯 말듯한 말을 계속 계속 속삭였다.

"I 나는…, 음, I 나는…, I 나는…."

이게 바로 작품의 이름이다. 〈I.I.I⋯. 나는, 나는, 나는⋯.〉

이 작품은 뭘 이야기하려는 걸까? 이 작은 생쥐를 보고 그의 이야기를 듣기 위해서는 허리를 많이 숙이거나 아주 낮은 자세로 앉아 조용히 오래, 집중해서 귀를 기울여야 한다. 그러면 그제야 작품이 속삭이고 있는 말이 언뜻언뜻 들린다.

작품의 해석은 관람자에게 있다고⋯ 나는 갠더의 의도와 전혀 상관없이, 예전 뉴욕에서 만난 그 아이가 생각났다. 그 생쥐와 얼굴이 너무 닮았다! 눈이 까맣고 동그란 것이, 몸 크기도 그렇고, 오래전 내가 유일하게 다섯 시간을 꼬박 같이 있었던 그 생쥐 같았다. 그때와 다른 건 이 쥐는 몸이 하얗고, 말을 한다는 것.

뉴욕 맨해튼. 내가 한 달간 머물던 방은 (뉴욕 대부분이 그렇듯) 방세는 엄청나게 비싼 데, 낡고 좁고 바닥 카펫도 좀 찝찝했다.

뉴요커의 특징을 설명하는 이런 얘기가 있다.

'몇 달간 안 신었던 신발을 벽장 뒤에서 찾아내어 신는데, 발을 밀어 넣는 순간 윤기 나는 두 개의 더듬이가 좌우로 흔들리다가 펄쩍 뛰어서 당신 팔에 튀어 오른 적이 있는가? 그렇다면 당신은 뉴요커다. 샤워하다가 수챗구멍에 머리카락을 발견하고 빼 들었더니 물바퀴의 더듬이였다? 그렇다면 당신은 뉴요커다'란 표현처럼, 뉴욕은 바퀴벌레가 정말 많다. 심지어 날아다니기까지 한다.

하루는 좀 늦게 집에 들어가게 되었다. 스위치를 탁 켰는데, 뭔가 시꺼먼 물체가 휙 달아났다. 바퀴벌레다! 엄지손가락보다도 더 큰 검은 타원형 물체가 책장 뒤로 쏙 들어가 버렸다. 근데, 책장에서 다시 나와 휙 올라가는 걸 보니 털이? 있었다. 털 있는 바퀴벌레라니… 이게 뭔 일인가. 바퀴가 날아다니다 못해 이젠 등에 털까지 난 변종이 생겼나? 근데 아니었다! 그건 아주 큰 바퀴벌레가 아니라 ㅠㅠ 아주 작은 쥐. 였. 다.

벌레도 귀신도 별로 무서워 않는 내가 세상에서 젤 싫어하는 게 쥐다. 나는 순간 문을 박차고 뛰어나가 1층 컨시어지로 달려갔다. 거기엔 데스크를 지키는 젊은 남자가 있었는데 쥐가 나타났다고 다급히 말했다. 그런데 이 남자 한다는 말이, 내일 아침 관리인을 불러 끈끈이를 놔주겠다는 것이다. 한국 남자 같았으면 자기가 무서워서 잡아주진 못할망정 놀라서 눈물이 그렁그렁한 여자를 봐서라도 한번 올라와 보는 시늉이라도 했을 거다. 치사한 놈. 끝까지 자기는 데스크를 지켜야 해서 가볼 수 없다고 했다. 아. 이제 나는 다시 어떻게 방에 들어갈 것이며, 내일 끈끈이를 놓는다 해도 거기에 파닥파닥 붙어있는 쥐를 또 어떻게 해야 한단 말인가.

방문을 활짝 열어놓고 침대 위에서 남자친구에게 국제전화를 했다. 다짜고짜 서러움에 대성통곡을 했다. 그는 어찌할 바를 모르며 일단 나를 진정시키려 했다.
"지금 쥐가 어디 있어?" 묻는다.

울던 눈을 치켜뜨고 보니 쥐가 내 하이힐 안에 들어가 있다.

"내 하이힐! 엉엉. 난 이제 저 구두 평생 못 신어! 어떻게 해!"

하이힐에 들어있다고 하니까, 남자친구가 자기 딴으론 생각해서 한다는 말이, "지금 창문 열고, 구두를 던져버려! 또 사줄게!" 한다.

아니, 지금 그걸 말이라고 하나.

"그러다 내 팔로 올라오면 어떻게 해! 그걸 던질 용기가 있었음 내가 이렇게 울고 앉아 있겠어!? 진짜. 바보야? 몰라!"

온갖 투정은 남친들이 늘 다 받는다.

자기도 뉴욕까지 날아와서 어떻게 해줄 수 있는 게 아니니까 자기 딴엔 위해서 한 말인데 나한테 혼만 나고 말았다.

"끊어!"

나는 국제전화를 끊고 한 시간은 더 서러워 울었던 것 같다. 쥐 때문만이 아니고 그간 타국 생활에서 긴장하고 외로웠던 것까지 다 폭발했다. 한참을 울고 나니 지쳐서 눈물도 나오지 않았다. (부은 눈꺼풀이 무거워) 졸린 것처럼 마음이 느슨해졌다. 쥐는 여전히 아직도 그 하이힐 안에서 말똥말똥 눈을 굴리고 있었다.

그런데 갑자기 유레카Eureka! 가방 안에 먹다 남은 샌드위치가 있는 게 생각났다. 거기서 치즈를 빼서 잘게 잘라 (헨젤과 그레텔에 나오는 것처럼) 문밖으로 이어지게 길을 만들면 쥐가 한 조각씩 따라가며 먹을 거고 문밖으로 따라 나가면 그때 문을 팍 닫아야겠다!는 생각이 떠올랐다. 일단 치즈를 잘라 예측한 동선 쪽으로 하나를 던져봤다. 근데 침대 위에서 던지려니 정확한 위치에 착륙이 안 되고 카펫에서 팅겨 자꾸 다른 쪽으로 갔다. 할 수 없이 용기를 내어 쥐의 동태를 살피며 후딱 내려와 한두 개를 두고 침대 위에 다시 올라왔다가, 또 빨리 한두 개를 두고 다시 올라오는 식으로(정말 혼자서 쌩쇼를 한다) 문밖까지 이어지는 치즈 길을 만들었다. 근데 쥐도 내가 무서운 모양이다. 내가 내려가면 책장 뒤로 휙 도망갔다가 내가 멀리 침대 위로 올라가면 그때서야 다시 나와 말똥말똥 내 눈치를 봤다.

드디어 길이 완성되었다. 조용히 기다리니 쫑긋쫑긋하며 나와 하나를 두 손에 들고 소중히 먹기 시작한다. 그리고 그다음 치즈를 또 야금야금 먹는다. 그런데 자꾸 보니 좀 익숙해지면서 이성적 판단이 들기 시작했다.

내가 이 조그만 걸 왜 이렇게 무서워하고 있지? 대체 왜 쥐가 무섭다고 생각하는 거지? 쥐에 대한 내 인식이 어디서부터 문제가 있었지? 왜 나는 다람쥐는 안 무서워하면서 회색 쥐는 무서워하지?
생각하고 보니 나의 쥐에 대한 부정적 편견은 '쥐가 중세 유럽을 끝장낸 페스트를 옮겼다'라는 역사적 사실과 '쥐=오물과 질병'이라는 더러운 이미지를 연결해 준 어린 시절 어른들의 교육이 가장 지대한 영향을 끼쳤다. 그 무서운 인식은 디즈니 만화영화에서 코끼리 덤보가 하늘을 날 수 있도록 도와준 쥐, 티모시도 깨지 못했고, 스튜어트 리틀도, 미키마우스도 바꾸지 못했다.

치즈를 소중히 들고 먹는 걸 찬찬히 보니 정말 눈이 까맣고 반짝이는 아주 조그마한 생쥐였다. 디즈니 만화에 나오는 딱 그 얼굴이었다. 쥐가 오물조물 치즈를 먹다가 눈치를 보듯 힐끗 나를 봤다. 반짝.
날 바라보는 눈이 내게 뭔가 말하는 듯 했다.

"나를 좀 다르게 봐봐."

사실, 입장 바꿔 생각을 해 보니, 애야말로 걸리버처럼 큰 내가 얼마나 무서울까 싶었다. 쥐는 치즈를 받아먹으면서 내가 그리 나쁜 사람이 아니라는 걸 알고 좀 안심한 듯 보였다. 나는 치즈를 '미끼'로 줬는데, '호의'를 베풀었다고 생각하는 것 같았다. 괜히 미안한 생각이 들었다.
어쨌든 그날 밤, 나는 '헨젤과 그레텔' 작전에 성공했다. 생쥐는 문밖 복도 끝까지 둔 치즈를 따라갔고 나는 문을 조용히 꽉 닫았다. 아주 꽉.
그 작은 놈은 내가 뉴욕의 그 방을 떠나기 전까지 다시 볼 수 없었다. 아마 컨시어지가 다음날 곳곳에 찍찍이를 설치해 어디에선가 잡혔는지도 모르겠다. 이국에서 쥐와의 짧은 만남은 내게 이전엔 전혀 생각지 못했던 여러 가지 질문을 주었다. 다음날, 전날의 해프닝에 대한 긴 일기의 마지막 문장은 이렇게 마쳤다.

나도 모르게 내 안에 굳어지고 당연해진 고정관념이란
얼마나 무지의 산물인지 발견한-- 길고 긴 밤이었다.
내 안에 부정적인 평가나 감정이 생겨날 때마다
그 감정의 진실에 관해 다시 질문해야겠다.

그 일기 후 25년 만에 미술관에서 다시 만난 생쥐.

나는 몸을 수그리고 앉아 가만히 생쥐를 들여다봤다.

"I… I… I…"

쥐는 말을 계속 머뭇거린다.

내게 이런 말을 하는 것만 같다.

I.., I.., I... 오랜만이야. 아주.

I.., I.., I... 나를 만난 후 편견을 좀 깨며 살았니?

I.., I.., I... 좀 다르게 세상을 보려 했니?

살다 보면

꼭 그렇게 살 것처럼, 글로 적기까지 한 결심이

옅어지다 못해 하얗게 빛바랜 사진처럼 되어버리기도 한다.

그래도 가끔씩, 이렇게

오래전 여행자의 결심을 다시 기억나게 하는 장소가 있어 다행이야.

그때마다 다시 새로운 마음으로 돌아가면 된다.

이발소에서 머리를 단정히 하듯

다시 마음을 단정히 하고 살아가면 된다.

28

좋았던 날의 기억을
설탕에 켜켜이 묻어

내 책상 위의 노트 중 가장 낡고 오래된 노트.

여행지에서 내게 다정했던 누군가의 이름, 따스했던 누군가의 말, 나를 감동케 했던 누군가의 작은 친절, 낯선 땅에서 만난 천사들의 기록이다. 매여행마다 한 번도 빠짐 없이 그런 사람을 만나게 되는 걸 보면, 세상은 참 이런 사람들로 인해 봄의 기운이 유지되는 것 같다.

집을 떠나 있으면 작은 호의에도 감동하게 된다. 한국에서 왔다니까 멀리서 온 손님에게 특별서비스라면서 에스프레소에 초콜릿 두 개를 슬쩍 놔 준 밀라노 카페, 산탐브뤄스Sant'Ambroeus의 이탈리안 바리스타. 그 소소한 친절이 먼 타국에선 아주 특별한 행운인 것처럼 느껴졌었다. 쥐베흐니에서 내 핸드폰을 찾아주며 행복하라는 영상까지 녹화해 놓았던 미국인 친구 제이미의 고마움은 말할 것도 없다.

예전에 누가 나에게 그중에서 뭐가 제일 기억에 남냐고 물었던 적이 있었다. 그때 생각해 본 건데, 아무래도 반전의 상황이 일어났을 때가 가장 기억에 남지 않나… 대답했다. 전혀 친절하지 않을 것 같은 사람의 친절을 느꼈을 때, 그리고 전혀 예상치 않았던 순간에 찾아온 사람의 호의 같은 것.

전혀 친절하지 않을 것 같은 사람의 친절

지구상 가장 거대한 활화산 마우나로아가 있는 빅아일랜드는 태고의 신비를 느끼게 하는 열대우림의 섬이었다. 섬에 내려 민박집을 찾아가는데, 칠흑 같은 어둠에 핸드폰도 안 터져서 플래시를 켜고 한참 같은 자리를 헤매었다. 간신히 찾은 민박집의 주인은 키가 190cm도 넘는 덩치가 무지 큰 남자였다. 내게 무서운 공포가 시작된 것은 그 큰 민박집에 그 아저씨와 나만 있다는 걸 알게 된 직후부터였다. 손님방은 1층이었고, 아저씨는 2층을 자기 집으로 쓰는 것 같았는데, 울창한 숲으로 둘러싸인, 그런 구조의 집에서 일어나는 공포영화를 너무 많이 보았었던가. 짐을 풀고 샤워를 하는데 갑자기 '무섭다'는 생각이 엄습했다. 여자인 나 혼자 있는데 저 아저씨가 확 들어오면 어쩌지, 주인이니까 열쇠도 있을 텐데, 전화도 안 터지는데…. 그 아저씨가 어느새 내 생각 속에 몹쓸 강간범 내지는 미국 호러 영화의 주인공이 되어있었다. 그러나,

나의 온갖 불길한 상상 속에서도… 나는 다행히 밤새 안전했다.

아침 일찍 빠끔히 문을 열고 밖을 내다봤는데, 저쪽 식탁에 아침 식사가 차려져 있었다. 식탁 위에는 빵과 달걀, 치즈, 햄, 거기에다가 아주 예쁜 그릇이 하나 더 놓여 있었다. 하와이가 바다거북의 섬이라고…, 여러 색깔의 열대 과일로 이쁘게 거북이 모양을 만들어 놓은 것이었다. 식탁 옆 아일랜드 테이블에는 거북이 한마리를 만들기 위해 깎아낸 여러 색깔의 과일 껍질, 예쁜 모양을 위해 과감히 버려진 나머지 과일 조각들이 있었다. 새벽부터 그 덩치에 그 큰 손으로 과일을 깎고 잘라 이 모양을 만들려고 애썼을 아저씨가 떠올랐다.

그때, 2층 난간에서 아저씨가 갑자기 얼굴을 내밀며 인사를 하는 거다. "Good Morning!" 잘 잤냐고, 오늘 날씨 참- 좋다고 말하며 활짝 웃던 미소를 잊을 수가 없다. 너무 미안해서 잊을 수가 없다. 아침에 보니 완전 다른 느낌! 얼굴이 나 혼자 막 화끈거렸다.

그 후에 한 번 더, 외모가 범상치 않은 아가씨가 내 비행기 옆자리에 탑 석이 있었다. 귀에만 귀찌 6개쯤, 코찌, 입찌, 볼 피어싱을 하고 파란색 머메이드 머리를 한… 미국 어디 불량한 동네에서 검정 가죽 조끼에 체인 부츠를 신고 담배를 한 대 물은 남친이 어깨에 손을 두르고 있을 법한 여자친구의 느낌이었다.

창가에 기대어 파란 머리를 뒤집어쓰고 계속 잠만 자서 승무원이 간식도 주지 못하고 지나갔다. 그런 그녀가 한참 후 깨어나더니, 핸드크림을 꺼내 바르다가 너도 바르겠냐고 짜준다. 손이 건조하던 차에 손등 위에 받아 고맙게 발랐다. 또 식사 중에 소스가 손에 묻어 휴지를 찾고 있는데, 잽싸게 자기 물티슈를 내게 건넨다. 밥을 다 먹고 나니 껌도 준다. 눈치와 센스와 배려심이 정말 놀라운 친구였다. 암튼 한국까지 돌아오는 내내, 옆자리 짝꿍의 서비스를 엄청나게 받았다. 나의 사람의 외모에 대한 선입견은 그날로 딱- 정리된 것 같다.

전혀 예상치 않았던 순간에 찾아온 호의
밤 9시 반, 드디어 짐이 나왔는데 옆구리 천이 찢기고 바퀴가 하나 빠진 채로 나왔다. 바퀴가 빠져 한쪽으로 쓸그러진 짐은 잘 끌리지 않았다. 인도 시골로 들어가려면 내일 새벽, 작은 국내선 비행기로 갈아타야 하는데, 이 짐을 끌고 공항 밖까지 나갔다가 몇 시간 못 자고 새벽에 다시 나오느니 그냥 공항 한구석에 기대어 자야겠다 싶었다.
'그래 그게 속 편하지.' 생각하고 있는데, 저쪽에서 뭔가 시꺼먼 무리가 몰려왔다. 머리부터 발끝까지 검은 니캅을 두르고 시꺼먼 눈두덩이만 보이는 무슬림 여자들이었다. 열댓 명이 우르르 지나는데, 한두 명이 아닌 열댓 명의 전신을 휘감은 검정 천의 면적대비는 헉하는 공포를 주었다. 죽음의 사자들을 보는 것 같았다.

도착한 승객들이 하나둘씩 짐을 찾아 각자의 목적지를 향해 공항을 빠져나가는데, 문득 '나만 남는 거 아니야?' 싶은 생각이 들었다. 밖은 비까지 부슬부슬 온다. 비를 맞고 대기 중인 릭샤 꾼과 택시 기사들이 타라고 손짓하며 뭐라 뭐라 한다. "호텔, 호텔!" 호텔로 데려다준다는 것 같았다. 그러나 이들을 쫓아갔다간 어딘지 모를 뒷골목으로 끌려가 가방만 뺏기고 버려질 것 같은 생각이 들었다.

'그래, 공항에서 제일 밝은 형광등이 있는 데로 가서, 자지 말고 버티다가, 동트자마자 국내선 비행장으로 가자!' 나름 비장한 결단을 내리고 공항 안쪽으로 짐을 끌며 빠르게 걸었다. 그런데 그 순간, 여기저기서 "드르륵-. 드르륵-" 공항 매점들이 셔터를 내리기 시작했다. 그리고 곧 "픽-", "픽-" 그 앞 상가 조명도 꺼지기 시작했다. 공항 상가 운영 시간이 끝난 것이었다.

이국에서의 낯선 밤, 눈 붙일 데 없는 막막함… 이제 꼼짝없이 저 비 오는 밤길로 나가야 한다니! 큰 숨을 한번 쉬고 릭샤 꾼들 쪽으로 방향을 바꾸려던 바로 그때! 등 뒤에서 익숙한 언어가 들렸다.

"저 혹시, 한국분이세요?"

얼굴을 돌려보니 나보다 열 살 정도 많아 뵈는 여성분이 서 계셨다.

"네 맞아요! 한국에서 오셨어요?"

"아뇨, 전 홍콩에서 왔어요. 인도 공항에서 한국분을 보니 반갑네요."

어떤 기대도 없던 그 순간에 찾아온 반가움, 안도감, 그 기쁨은 어찌 표현할 길이 없다. 그녀는 뭄바이에서 WHO 회의가 있어서 왔다고 했다. 어리고 어쩔 줄 모르는 내 모습을 읽었는지, WHO에서 함께 일하는 인도 친구 집에 갈 건데 혹시 잘 곳이 없다면 자기와 같이 가겠냐고 물었다. 나는 선택의 여지 없이 너무너무 감사하다고 했고, 함께 그녀의 친구 집으로 갔다.

덕분에 나는 안전한 잠자리에서 세 시간이라도 눈을 붙일 수 있었다. 그리고 다음 날 새벽 5시 반, 그녀가 불러준 택시를 타고 작은 국내선 비행장까지 무사히 갈 수 있었다. 잠시 머물렀던 그녀의 친구 집 분위기가 어땠는지, 그녀가 어찌 생겼었는지 컴컴한 밤에 들어갔다가 새벽에 살짝 나와야 해서 잘 기억나지 않는다. 하지만 "나랑 갈래요?" 말했던 그 목소리의 '느낌'은 지금도 떠올리면 따스하다. 인생의 어떤 기대도 없던 순간에, 온 우주가 나를 지켜보다가 딱 필요한 사람을 딱 맞는 시간에 만나게 하는 기분! 그런 기적의 순간이었다.

내가 사랑받는 존재임을 잊은 어느 날,
책상 위 나의 오래된 낡은 노트는
그 어떤 심리학책, 자기 계발서보다 많은 위로의 말을 해온다.

세계 모든 장소에서 따뜻했던 만남들.
나만 아는 그때, 그 기적의 순간들이 다시 살아 격려의 말을 해온다.
너는 아주 특별한 사람이라고.
한국의 내 집에서도 그 여행의 장소들은 계속 말을 걸어온다.

그래서, 여행자는 여행의 기억을 잘 가지고 집에 돌아와야 한다.
어느 음악 가사처럼, 좋았던 날들의 기억을 설탕에 켜켜이 묻어놨다가
언젠가 문득 힘들 때면 따뜻한 물에 타서
그 차를 마시고… 봄날로 가자.

publisher   instagram

내게 말을 거는
여행의 장소

초판발행 2024년 5월 23일

지은이 우지연

펴낸이 최대석 **펴낸곳** 행복우물 **출판등록** 307-2007-14호

등록일 2006년 10월 27일

주소 a1. 서울시 중구 삼일대로 343 위워크 8층

　　　a2. 경기도 가평군 경반안로 115

전화 031-581-0491 **팩스** 031-581-0492

전자우편 book@happypress.co.kr

정가 19,000원　**ISBN** 979-11-91384-92-5

친구들로부터 선물 받은 사진들 08-2, 15-2, 17-1 Yogi 01-2, 13-3 feelfinnair 03-2 matteoparos 04-2 Zohar MA
07-2, 27-3 sulg.sso 08-3 Moon 19-2, 19-3 Fabrice Fouillet 15-3 perelachaise_forever 23-1 spring road